JN182665

大阪カフェ時間

こだわりのお店案内

osaka cafe time

あんぐる 著

Mates-Publishing

CONTENTS

中崎町・天六・中津……6

北浜・天満橋・天満・西天満……34

SANWA COFFEE WORKS

梅田・北新地・福島・野田……98

平野まちめぐり&カフェめぐり……114

この本の使い方

お店がある場所のエリア名や最寄り駅です。

アイコン

スイーツ・フード・自家製パンのメニューや販売、アルコールメニュー、ドリンクやフードのテイクアウト、雑貨販売の有無をアイコンで表示しています。

- S Sweets
- F Food
- T Take out
- A Alcohol
- B Bread
- G Goods

しまこカフェ

S T G

左上：テイクアウトコーナー　左下：コースターにのった、オリジナルキャラクター"おうちちゃん"　上：まるで絵本の中のような店内　左：シフォンプレート（いちじく）950円 ※時期によって変動

Information

大阪市北区中崎西1-7-35
06-6147-3070
11:00～16:00（15:30LO）
日曜休み、不定休（SNSで随時お知らせ）
テーブル9席　全席禁煙
http://simakocafe.com/
@simakocafe

Osaka Metro 谷町線中崎町駅2番出口より北へ4分

8

中崎町｜しまこカフェ

シャインマスカットをふんだんにトッピング。おうちクッキーは甘さ控えめでカリカリとした歯ごたえ。950円※時期によって変動

シフォンケーキ丸々1台をひとり占め！

自宅でハンドメイド教室などを主宰していた際に生徒さんに出していたシフォンケーキとコーヒーが好評で、お店をオープン。シフォンケーキとドリンクだけのシンプルなメニュー構成ですが、ひとりで1台食べられる特別感が話題になり、多くの人が足を運ぶ人気店となりました。

シフォンケーキはプレーンとショコラの2種類を用意し、ホイップクリームや季節のフルーツをたっぷりトッピングして提供。食感は意外にも"むっちり"としていて、水分をたっぷり含んだ弾力感に、つい心が躍ります。また、生地に牛乳やバターを使っていないため後口あっさりで、1台ぺろりと食べられるのもうれしいところ。通年メニューのバナナに加え、秋にはシャインマスカットやいちじく、冬にはいちごなども登場予定です。自家焙煎の豆で淹れるブレンドコーヒーとともに、とっておきのおやつタイムが過ごせます。

Menu

シフォンケーキプレート	700円～
紅茶	450円～
極上はちみつ紅茶	500円～
ココア	600円

ポーリッシュポタリーで提供する しまこブレンドコーヒー 450円

旬のフルーツとケーキをお楽しみください！

オーナー・しまこさん

9

メニューの一部を紹介しています。

お店の方からのコメントやおすすめポイントです。

定休日は基本的に定期休日のみの記載で、お盆や年末年始などは含まれていません。

※新型コロナウイルス感染拡大の影響により、営業日・営業時間を変更、座席数を変更、利用時に予約を必要とするなどの対応をしている場合があります。おでかけの際には、事前に電話や各店のSNS等でご確認ください。本書に記載している情報は、営業日・営業時間については平常時のもの、その他の情報は2022年8月現在のものです。情報や価格は予告なく変更される場合があります。詳細は各店でご確認ください。

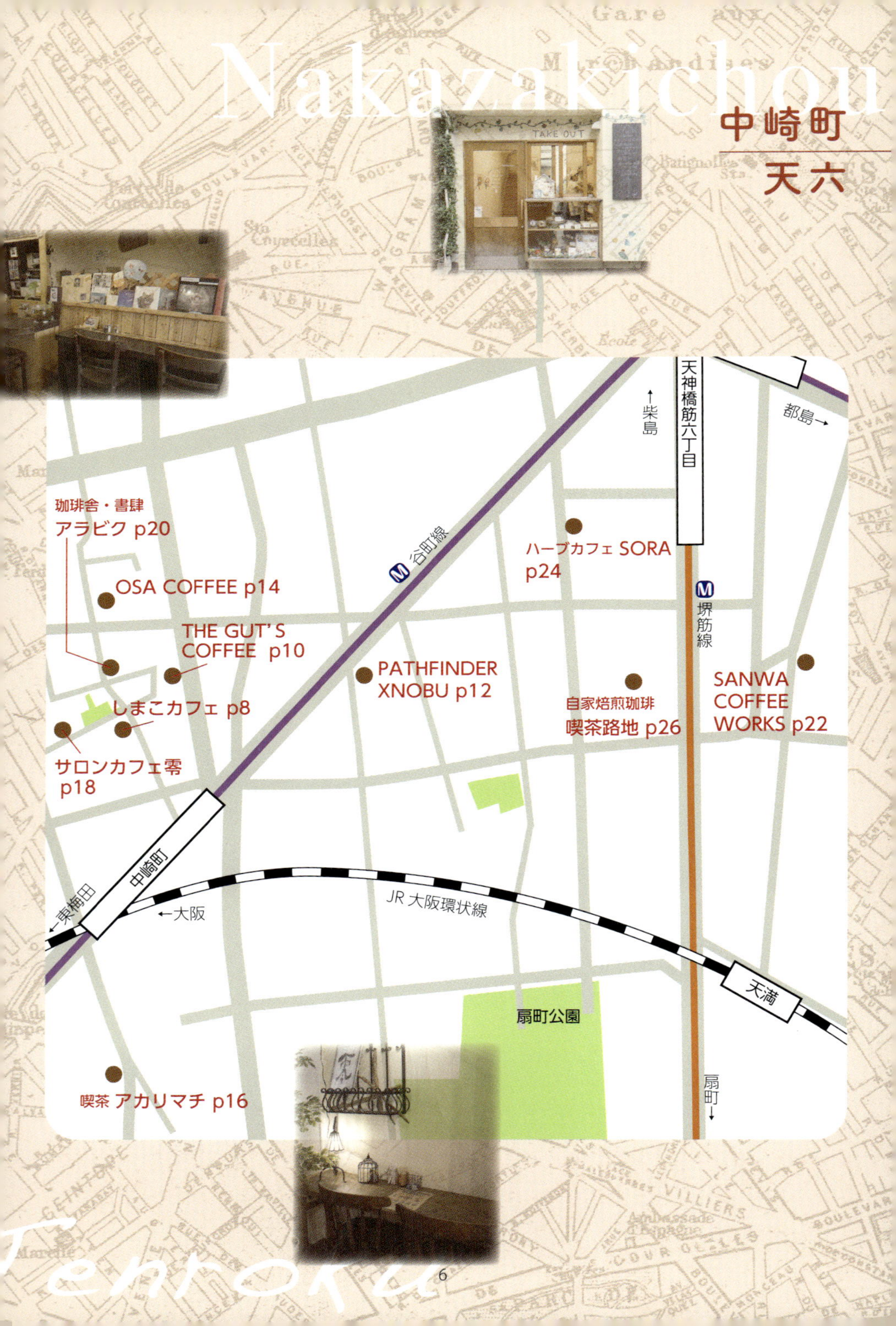
Nakazakichou
中崎町
天六
TAKE OUT
天神橋筋六丁目
↑柴島
都島→
谷町線
堺筋線
珈琲舎・書肆
アラビク p20
OSA COFFEE p14
THE GUT'S
COFFEE p10
しまこカフェ p8
サロンカフェ零
p18
PATHFINDER
XNOBU p12
ハーブカフェ SORA
p24
自家焙煎珈琲
喫茶路地 p26
SANWA
COFFEE
WORKS p22
中崎町
←東梅田
←大阪
JR 大阪環状線
天満
扇町公園
扇町↓
喫茶 アカリマチ p16
Tenroku

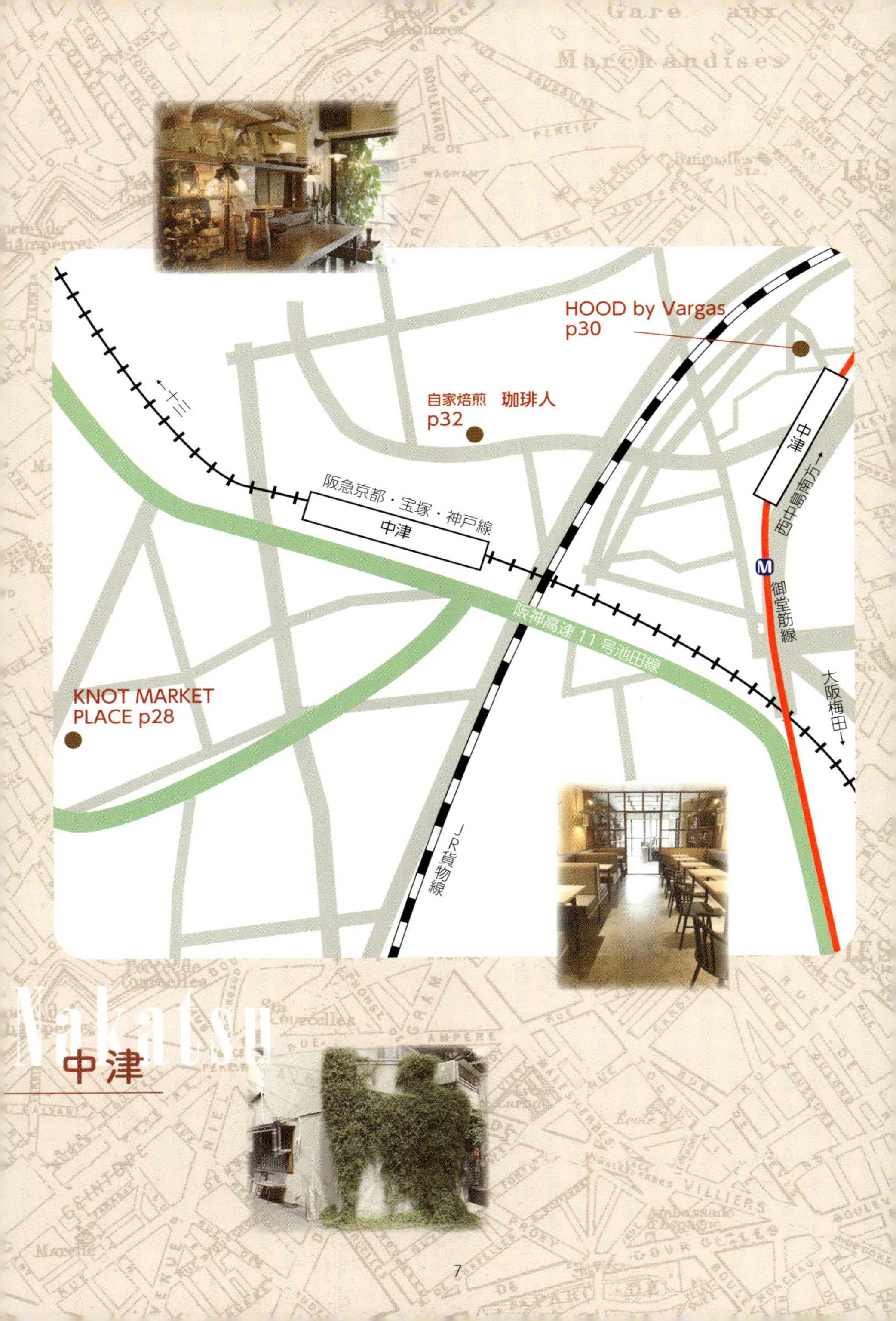
HOOD by Vargas
p30
自家焙煎　珈琲人
p32
←十三
阪急京都・宝塚・神戸線
中津
中津
西中島南方→
御堂筋線
阪神高速 11 号池田線
大阪梅田→
KNOT MARKET
PLACE p28
JR貨物線
Nakatsu
中津

しまこカフェ

S T G

左上：テイクアウトコーナー　左下：コースターにのった、オリジナルキャラクター“おうちちゃん”　上：まるで絵本の中のような店内　左：シフォンプレート（いちじく）950円 ※時期によって変動

Information

大阪市北区中崎西 1-7-35
06-6147-3070
11:00 ～ 16:00（15:30LO）
日曜休み、不定休（SNS で随時お知らせ）
テーブル９席　全席禁煙
http://simakocafe.com/
@simakocafe

Osaka Metro 谷町線中崎町駅２番出口より北へ４分

シャインマスカットをふんだんにトッピング。おうちクッキーは甘さ控えめでカリカリとした歯ごたえ。950円※時期によって変動

シフォンケーキ丸々１台をひとり占め！

自宅でハンドメイド教室などを主宰していた際に生徒さんに出していたシフォンケーキとコーヒーが好評で、お店をオープン。シフォンケーキとドリンクだけのシンプルなメニュー構成ですが、ひとりで1台食べられる特別感が話題になり、多くの人が足を運ぶ人気店となりました。

シフォンケーキはプレーンとショコラの2種類を用意し、ホイップクリームや季節のフルーツをたっぷりトッピングして提供。食感は意外にも〝むっちり〟としていて、水分をたっぷり含んだ弾力感に、つい心が踊ります。また、生地に牛乳やバターを使っていないため後口あっさりで、1台ぺろりと食べられるのもうれしいところ。通年メニューのバナナに加え、秋にはシャインマスカットやいちじく、冬にはいちごなども登場予定です。自家焙煎の豆で淹れるブレンドコーヒーとともに、とっておきのおやつタイムが過ごせます。

Menu

シフォンケーキプレート	700 円〜
紅茶	450 円〜
極上はちみつ紅茶	500 円〜
ココア	600 円

ポーリッシュポタリーで提供する
しまこブレンドコーヒー 450 円

旬のフルーツとケーキをお楽しみください！

オーナー・しまこさん

THE GUT'S COFFEE

ザガッツコーヒー

ゆっくり飲食したい場合は、建物の3階にあるイートインスペースへ

専属バリスタの腕が光るコーヒーを堪能

Information

大阪市北区中崎 3-2-29
06-6374-6390
9:00 ～ 18:00
水曜休み
ベンチ席 28 席
全席禁煙
https://www.guts-no1.com/
@thegutscoffee

Osaka Metro 谷町線中崎町駅 2 番出口より北へ 2 分

左上：ドリンクはレギュラーとラージがある　**左下：**シアトル系コーヒー店でも長い経験があり知識も豊富なうにさん　**上：**ラテ 570 円、マフィン 430 円　**左：**店先にもベンチがある

内装施工会社「THE GUT'S」が手がけるコーヒースタンド。プロの職人がセルフビルドした店内は、クールで骨太な雰囲気です。1階は小さなベンチが3台置かれ、奥にはファクトリーがあります。

コーヒーは、オーストラリア・シドニー発ロースター「Single O（シングルオー）」の豆を使って、専属バリスタのうにさんが丁寧に淹れます。「クオリティの高さはもちろん、独自に農園と取り引きし、生産者に直接還元できる取り組みにも惹かれました」と、うにさん。ドリップとエスプレッソがあって、一番人気はラテ。低温殺菌のミルクもいい仕事をします。「昔、海外で飲んでいたおいしいコーヒーと同じ味」など、常連さんはコーヒーの味を熟知する愛好者ばかり。

コーヒーのほかにも、オレンジラテやフルーツティーを用意。マフィンやクッキーなど、焼菓子との相性も抜群です。

Menu

ハンドドリップ（H/I）	550 円
モカ（H/I）	610 円
ヘーゼルナッツラテ	610 円
アフォガート	550 円

オレンジジュースとミルクの割合が絶妙のオレンジラテ 520 円

敷居が高いと思わず気軽に来てください。

専属バリスタ・うにさん

PATHFINDER XNOBU

パスファインダー　タイムスノブ

左上：ラテアートのワークショップも定期的に開催
左下：濃厚バスクチーズケーキ 600 円　上：メルボルンの街並などを白壁に投影しているスタイリッシュな店内　左：人気の窓際席

Information

大阪市北区浮田 1-6-9 プラムガーデン 1 階
電話なし
10:00 ～ 18:00
不定休
テーブル 20 席
全席禁煙
https://pathfinder.base.shop/

Osaka Metro 谷町線中崎町駅 1 番出口より東へ 2 分

色鮮やかな「レインボーラテ」650円、
キャラメルシフォンケーキ600円

メルボルンスタイルで自分好みの一杯を

ラテアート世界大会で2度の優勝経験があるオーナーの下山修正さんが、日本でプロデュースしたカフェ1号店。店では、カフェの聖地オーストラリア・メルボルンのスタイルを大切にしています。豆の種類やサイズはもちろん、ミルクの種類や温度、エスプレッソの量などを自分好みにカスタマイズして、日常のコーヒーを楽しんでほしいという想いがあります。コーヒー豆は、メルボルンの店の味を再現して日本で焙煎したオリジナルブレンド。チャイやチョコレートもメルボルンから仕入れています。「ラテアートが芸術的」と若い女子から人気の一方、「豆の香りがたまらん」とご近所のコーヒー好きのシニア層からも支持されています。

「PATHFINDER」は「小道を探す人」＝「開拓者」の意で、バリスタ志望者に向けたアンテナショップ的な役割も担っています。こちらもさまざまなコースでサポートしてくれます。

Menu

豆乳チョコレートミルク 650円

カフェラテ (H/I)	600円
キャラメルラテ (H/I)	650円
チョコレートミルク (H/I)	600円
柚子クリームソーダ	650円

カスタマイズできるので、
自分好みを探してくださいね。

ストアマネージャー・成尾恭輔さん

OSA COFFEE

オーエスエーコーヒー

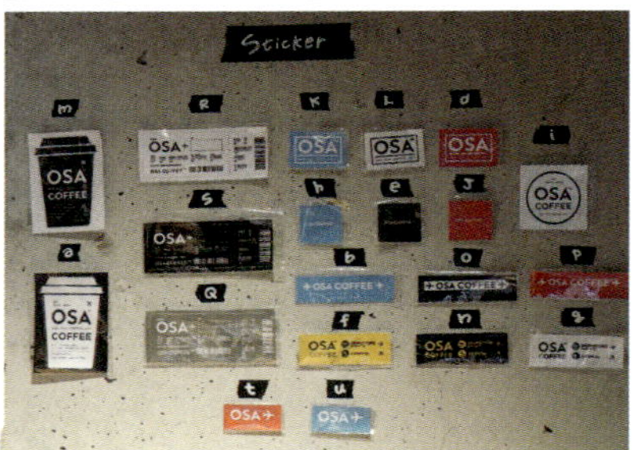

左上：腰掛用の太いパイプと小さなテーブルがある店内　左下：人気のステッカーほか、オリジナルグッズを販売　上：オレンジ色のネオンサインが印象的　左：ワンドリンクオーダー制

Information

大阪市北区中崎 3-3-10
06-6359-6900
10:00 ～ 18:00
無休
コーヒースタンド 5 ～ 6 席、テラス 4 ～ 6 席
全席禁煙
@osa_coffee

Osaka Metro 谷町線中崎町駅 2 番出口より北へ 4 分

飛行機のラテアートが印象的な「カフェラテ」550円、
プリン400円（セットで100円OFF）

旅気分を楽しめる空港モチーフのカフェ

旅行好きのオーナーが「少しでも旅気分を感じられたら」と、長崎、広島、福岡2カ所と大阪、全国で5店舗を展開する、空港をモチーフにしたカフェ。福岡なら「FUK」、長崎なら「NGS」など、旅好きならおなじみ、空港のスリーレターコードを店名に入れています。カウンターは荷物受け取りのベルトコンベア、床は滑走路をイメージしていて、気分がぐっと上がります。

山口の「ミルトンコーヒーロータリー」で独自に焙煎された豆を使ったカフェラテは、ラテアートのかわいさだけでなく味も本格的。苦みを抑え、ミルクの甘味を生かした飲みやすい一杯です。常時4〜5種類を用意するスイーツのなかでも人気はプリン。カラメルソースに隠し味で入れたエスプレッソがほんのり香ります。「旅気分が味わえた」「系列の各店舗を巡った」など、コンセプトに大ハマリの女子が続出しています。

Menu

抹茶ラテ（H/I）　650円

バスクチーズケーキ	400円
ホワイトモカ（H/I）	600円
ほうじ茶ラテ（H/I）	650円
レモネード	600円

午前中や閉店1時間前はゆったりしていますのでぜひ！

店長・大渕将希（しょうき）さん

喫茶アカリマチ

きっさアカリマチ

楕円形にくりぬかれた通路や作り付けの食器棚も素敵なカウンター周り

雰囲気もメニューも昭和の香りたっぷり

Information

大阪市北区万歳町 3-41
06-6312-2251
9:00 ～ 17:00
不定休　※詳細は SNS などで確認
テーブル 12 席、カウンター 5 席
全席禁煙
@akarimachi

Osaka Metro 谷町線中崎町駅 3 番出口より南へ 2 分

左上：コーヒーはサイフォンで淹れる　左下：ティーバッグ式のコーヒー 180 円やアカリマチブレンド 750 円などを販売　上：自家製ホットケーキ 850 円　左：人気のペアカウンター席

楕円形の窓や通路が印象的で、カフェというよりは〝昭和の喫茶店〟という響きがピッタリはまるお店。カフェめぐりが好きだった店主のMASAKOさんは、２００９年に今は独立して「アカリマチ阿波座店」を営む友達と一緒に店を開きました。

温かみのある店内でいただくメニューは、サンドイッチなどの軽食が中心で、ドリンクはレモンスカッシュ、ミックスジュースなどの昭和の香りがする一品もスタンバイ。人気の自家製ホットケーキは、お客さんからのリクエストで生まれたメニュー。注文が入ってから粉を混ぜてじっくり焼き上げる一品は昔懐かしい味がします。若い世代を中心に大ブレイクして、SNSでも評判です。

老若男女が訪れますが、思い思いの時間を過ごすおひとりさまが多いのも特徴。店主の雰囲気そのままの穏やかな空気が流れ、ついつい長居をしてしまいそうです。

Menu

モーニング（9:00 ～ 11:00）	ドリンク代＋ 50 円～
甘辛豚そぼろ丼（金曜限定）	900 円
ハムチーズトースト	600 円
濃厚ガトーショコラ	650 円

アカリマチのカレー
（サラダ・ゆで卵トッピング付）850 円

気軽に来て、ゆっくりしてくださいね。

店主

サロンカフェ 零

サロンカフェぜろ

左上：照り焼きチキンピタ550円　左下：エスプレッソをきかせた甘さ控えめの珈琲ゼリー400円　上:トーンを落としたクールな雰囲気の店内　左：人気のカウンター席

大阪市北区中崎西 1-7-12
06-6136-6484
12:00 ～ 19:00
木曜休み　※詳細は Twitter で確認
テーブル 10 席、カウンター 5 席
全席禁煙
@SalondeCafeZero

Osaka Metro 谷町線中崎町駅 2 番出口より西へ 5 分

大人のベリーティラミス550円（左下）、大人のティラミス550円（上）など、いずれも甘さ控えめ

昭和レトロな雰囲気が流れる大人カフェ

昭和時代のソファーが置かれ、アイアンの小物が飾られた店内は、レトロ感たっぷりで、懐かしさを感じます。店主yukiさんの実家の喫茶店から譲り受けたカップ類も、昭和レトロで雰囲気抜群です。

以前の小鉢付きプレートなど、がっつりランチというより、軽食とデザートをメインに楽しめる店へとシフトチェンジ。そこでブレイクしているのがティラミスです。プレーンの大人のティラミスをベースにしたアレンジメニューや、抹茶やほうじ茶を使った和ソースのティラミスなど全7種類を用意。軽食は、セルフサンドイッチスタイルのピタパンが好評です。もちろん、クリームソーダや珈琲ゼリーなど、昭和レトロメニューは健在です。

また新たに、クラフトビールの提供を始めました。ゆずラガーなどフレーバードラガーもあり、ますますゆっくり居座ってしまいそうです。

Menu

自家製ジンジャーエール 400円

ホットドッグ	400円〜
クラフトビール（4種類）	500円〜
アフォガート	600円
クリームソーダ	600円

クラフトビールもありますので、昼飲みもどうぞ！

店主・yukiさん

珈琲舎・書肆　アラビク

こーひーしゃ　しょし　アラビク

左上：カフェ・フィアカー850円　左下：自家製ティラミスや季節のチョコレートケーキなどのスイーツも。各400円　上：本に囲まれた土間がカフェスペース　左：味のある人形たち

Information

大阪市北区中崎3-2-14
06-7500-5519
13:30 ～ 21:00（日曜は～ 20:00）
水曜休み、火曜不定休（祝日は営業）
テーブル15席
全席禁煙
http://arabiq.net/

Osaka Metro 谷町線中崎町駅2番出口より北へ2分

ホイップクリームたっぷりの「マリア・テレジア」。
砕いたキャンディーの代わりに金平糖をトッピング

喫茶・書店・ギャラリーとしての空間

中崎町の町に溶け込むたたずまいの築100年近い町家。緑におおわれた扉を開けると、店内は本や人形、絵画がぎっしりと飾られた不思議な空間で、ギャラリーとして、定期的に国内外の作家たちの企画展を開催。もともとロシア・ウクライナの作家の展示が多かったこともあり、作家を応援するための募金も行っています。

ビターな味わいのブレンド・ネロなど深みのあるコーヒーのほか、見た目も華やかなフレーバーコーヒーも人気。マリーアントワネットの母親の名前を冠した「マリア・テレジア」は、深煎りコーヒーにオレンジリキュールを合わせ、カラフルな金平糖をトッピング。オーストリアを代表するラム酒「ストローラム」を入れたウインナーコーヒー「カフェ・フィアカー」など、レシピを忠実に守って作るヨーロッパのお酒のアレンジコーヒーは、外国のお客さんからも「正解!」と、評価を受けた味です。

Menu

マリア・テレジア 750 円

ブレンド・ネロ	550 円
ブレンド・ロッソ	600 円
アイリッシュコーヒー	800 円
ウイスキー各種	600 円～

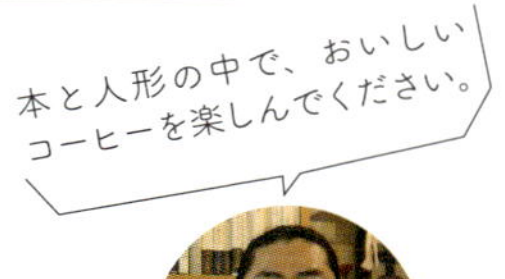

店主・森内憲さん

SANWA COFFEE WORKS

サンワコーヒーワークス

2022年7月に全面リニューアルした、天井が高く開放的な店内

コーヒーのある時間を大切にするお店

Information

大阪市北区池田町 17-7
06-6353-9603
9:00 ～ 18:00（17:30LO） 無休
テーブル 36 席
全席禁煙
https://store.sanwacoffeeworks.com/
@sanwacoffeeworks

Osaka Metro 谷町線・堺筋線天神橋筋六丁目駅 12 番出口より東へ 3 分、JR 大阪環状線天満駅より北へ 5 分

左上：テイクアウトは料金が異なる　左下：シンプルな店内に花や多様なグリーンが飾られ癒しに　上：厚焼きたまごサンド 1210円、深煎り（S）550円　左：2階では焙煎風景をガラス越しに見学できる

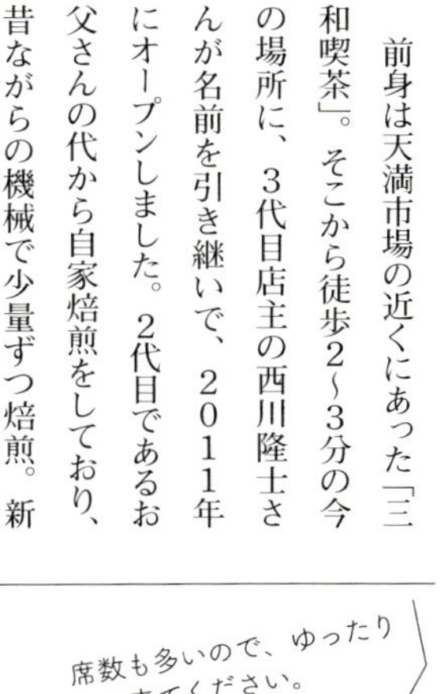

前身は天満市場の近くにあった「三和喫茶」。そこから徒歩2～3分の今の場所に、3代目店主の西川隆士さんが名前を引き継いで、2011年にオープンしました。2代目であるお父さんの代から自家焙煎をしており、昔ながらの機械で少量ずつ焙煎。新鮮な豆をこまめに出しています。「ロースターの大会に出て自分自身のスキルを上げているんですよ」と西川さん。2017年に全国5位、2019年には4位に入賞する腕前です。

　コーヒーは、深煎り、中煎り、浅煎りを用意。ハンドドリップだけでなく、エスプレッソも各種そろいます。フード類はパン系が数種類あり、モーニングはドリンクとセットでお得に利用できます。野菜や果物などの食材は、近くの天満市場で調達。「昔から地域密着型のお店なので、近所の方に喜んでもらえたら」。西川さんとの会話も楽しみながら、和み時間を過ごせる素敵な場所です。

Menu

レモンケーキ　594円

カフェラテ（H/I）	S550円、L693円
キャラメルラテ（H/I）	S660円、L803円
はちみつレモントニック	715円
トマトとバジルのクロックムッシュプレート	1562円

席数も多いので、ゆったりしに来てください。

オーナー・西川隆士さん

ハーブカフェSORA

ハーブカフェソラ

左上：茶葉やスイーツはネット販売も　左下：渋川飯塚ファームのハーブとフルーツのジャム650円～　上：木を多用した温かみのある店内　左：本日のハーブスコーン（お茶付）950円

Information

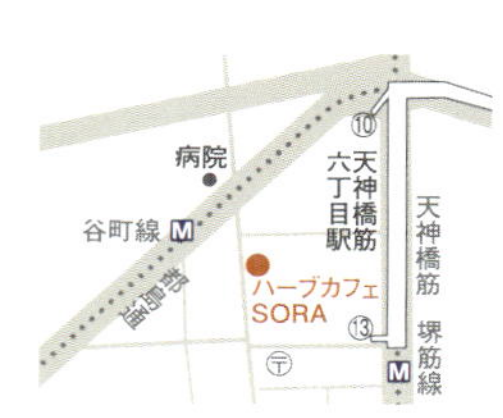

大阪市北区浪花町13-19
06-6359-1023
12:00～18:00（17:30LO）
月・火曜休み
テーブル16席　全席禁煙
https://www.herbcafesora.com/
@herbcafe_sora

Osaka Metro 谷町線・堺筋線天神橋筋六丁目駅13番出口より北西へ2分、10番出口より南西へ2分

三つ葉の和風オムレツサンドセット
（ハーブティー付）1100円

ドリンクやスイーツでハーブを堪能

「日々のくらしにハーブを取り入れて気軽に楽しんでほしい」という思いでオープンし、2022年で開店10周年を迎えました。オリジナルブレンドのハーブティーは8種類、ハーブやスパイスを使ったスイーツはパウンドケーキ、クッキー、スコーンなど10種類以上がそろいます。フードメニューで人気は、三つ葉の和風オムレツサンドセットとハムチーズトマトと大葉のサンドセット。いずれも日本のハーブが風味豊かに香ります。

「ハーブティーは苦手だったけど、ここで飲んで好きになった」という声に励まされる店主の加来武治さん。飲みやすさを考えてブレンドをしています。ホットの場合は、ポットで提供されるので、ハーブの香りを楽しみながら、くつろぎの時間を過ごせます。茶葉やスイーツなど、テイクアウト用の商品もかなり充実。飲食した後は買い物も楽しんで。

Menu

バタフライピーレモングラスカルピス 600円

ラベンダーミルクティケーキセット	950円
季節のハーブジャムのシフォンセット	980円
たんぽぽコーヒー（H/I）	560円
たんぽぽオレ（H/I）	600円

テイクアウトのみも歓迎です。お気軽にどうぞ。

店主・加来武治（かくたけはる）さん

自家焙煎珈琲 喫茶路地

じかばいせんこーひー　きっさろじ

懐かしい雰囲気の店内は、
印刷会社の事務所兼倉庫だった場所

珈琲の香りに誘われながら路地の中へ

Information

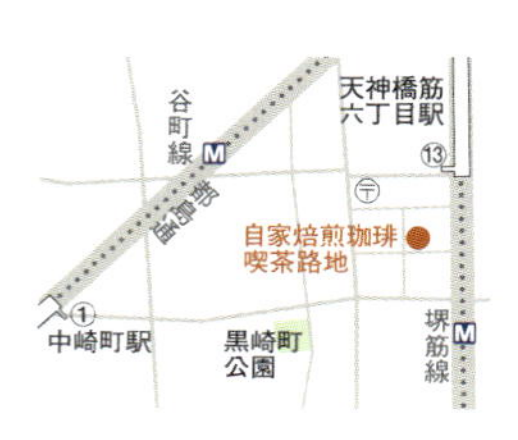

大阪市北区浪花町 9-5
06-6371-8828
13:00 ～ 18:00
月・火曜休み
テーブル７席、カウンター３席　全席禁煙
https://kitusaroji.com/

Osaka Metro 谷町線・堺筋線天神橋筋六丁目駅 13 番出口より南へ２分。谷町線中崎町駅１番出口より東へ５分

左上：オリジナルグッズも人気　左下：白い暖簾がかかった窓からテイクアウト販売
上：路地色もなか 380 円。粒感のある白あんは、御幣島の「わがし屋よだもち」から
左：味のある古い柱時計

柱時計の針の音とボリュームを抑えたジャズの音色が心地よい路地の中の喫茶店。築100年を超える長屋に店を構えて今年で丸10年になります。ほぼ毎日焙煎するコーヒーは、バランスがよくすっきりとした飲み口の路地ブレンドや、エチオピアやインドネシアなどの豆を使ったシングルなど。焙煎度合いによって違うコーヒーの味わいが楽しめます。

店内では、4週ごとにイラストや絵画、写真などを展示し、そのテーマに合わせたブレンドを提供。多様な展示内容がお店の雰囲気にマッチし、訪れる楽しみの一つになっています。

コーヒーとともに味わいたい路地色もなかは、ジューシーなキウイの酸味が、ほっくりとした白あんにマッチしています。コーヒー豆のほか、ディップスタイルのブレンドコーヒーやカフェラテベースなども販売。コーヒー保存缶やマスキングテープなどのオリジナルグッズも好評です。

Menu

ほどよいコクが味わえる
路地ブレンド 550 円

グァテマラハニー（H）	580 円
水出しコーヒー（I）	550 円
カフェラテ（H/I）	550 円
ほうじ茶	550 円

コーヒー豆だけご購入の
お客さまも大歓迎です！

店主・岩金真司さん

KNOT MARKET PLACE

ノット マーケット プレイス

左上：天井付近の基礎部分にはかつて工場だった名残が　左下：揚げたてドーナツも美味　上：大箱カフェならではの開放感のある空間　左：焼菓子やコーヒーのテイクアウトもあり

Information

大阪市北区中津 6-7-22
06-7507-1076
11:00 ～ 18:00（土日・祝日は 8:00 ～）
水曜休み
テーブル 24 席、カウンター 4 席　全席禁煙
https://www.knotmarketplace.com/
@knotmarketplace

阪急中津駅西出口より南西へ 10 分。Osaka Metro 御堂筋線中津駅 5 番出口より南西へ 14 分

ニューヨーク風LOXベーグルサンドのドリンクセット1250円に、ポテトとサラダ各200円を添えて

自家製パンが自慢の工場リノベカフェ

自動車の部品工場だった建物をリノベーションし、ファクトリー感をほどよく残した大箱カフェへ。「ベーカリー&カフェ」「ストア」「ギャラリー」の3つのスペースが同じ空間内に存在し、自由に行き来しながらそれぞれの雰囲気が楽しめます。

店内で毎日焼き上げるパンは天然酵母仕立て。小麦本来のうまみや甘味をぐっと引き出しつつ外側サクサク、中はもっちりの絶妙食感に焼き上げます。このパンを使ったバーガーやサンドも人気で、具材にスパイスをたっぷり使用したり、こっくり濃厚なあんバターをトッピングしたりと、さまざまなおいしさを提供。ランチやおやつにぴったりです。

甘いもの気分のときには、自家製ドーナツもおすすめ。できたてならではのしっとりふかふか食感と、クリームやトッピングとのマッチングに酔いしれます。少し大きめサイズなので、お腹も大満足間違いなしです。

Menu

N6 チーズバーガー	1350円
Today's Cake	時期によって変動
プレーンドーナツ	320円
レモネードソーダ	600円

コーヒーの果実味が楽しめる、浅煎りの豆を使用したラテ600円

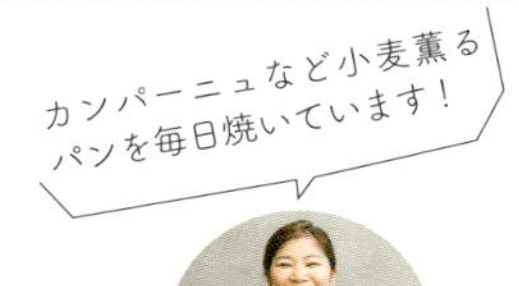

ベーカリー担当・上野幸枝さん

HOOD by Vargas

フッドバイヴァーガス

アンティーク家具や照明が醸し出す、落ち着いた雰囲気の店内

コーヒーを楽しむための空間とスイーツ

Information

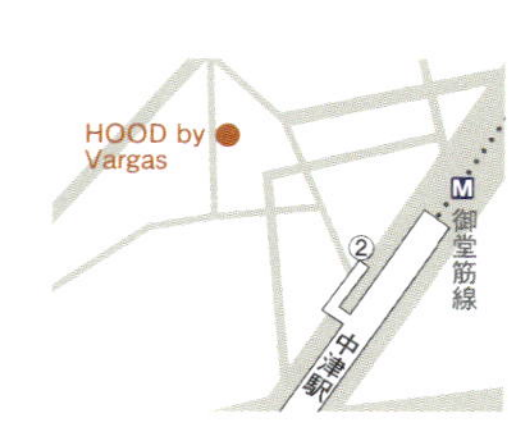

大阪市北区中津 1-14-6
06-6375-0035
12:00 ～ 19:30
不定休
テーブル 12 席、カウンター 4 席
全席禁煙、外のベンチのみ喫煙可
@hoodbyvargas

Osaka Metro 御堂筋線中津駅 2 番出口より北西へ 2 分

左上：入ってすぐのカウンターもいい雰囲気　左下：自家製グラノーラなどをトッピングしたチーズブラウニー 600円　上：自家製ティラミス 650円　左：空間に溶け込むアンティークの小物

アメリカで買い付けたアンティークのインテリアやマグカップ、やわらかい響きの古い音楽など、味はもちろん、空間も繊細な部分を大切にしています。駅近なのに静かな路地にあるお店には、コーヒーをゆっくりと味わいたい人たちが、次々と足を運んでいます。スペシャルティーコーヒーは、本日のコーヒーのほか、深・中・浅煎りをハンドドリップで提供。好みに合う焙煎具合の豆を選べます。カフェラテやフレーバーラテなど、エスプレッソ系も人気です。

コーヒーを軸にして、コーヒーをさらに楽しんでもらうためのスイーツも各種そろっています。オープン当初から続く特製メニューの自家製ティラミスは、マシンで抽出したエスプレッソをしみこませたスポンジとなめらかなクリームで、あっさりした口あたり。アフォガートやブラウニーのほか、ランチにぴったりのサンドイッチもおすすめです。

Menu

バランスのよいスペシャルティー
本日のコーヒー 550円

カフェラテ（H/I）	600円
自家製プリン	500円
アフォガート	600円
サンドイッチ	1100円

2020年11月、難波に新店舗をオープンしました！

店主・高橋俊介さん

自家焙煎　珈琲人

じかばいせんこーひーじん

木を多用したセルフビルドの空間はほっと和む。今の場所に移転して6年めを迎える

知る人ぞ知る珈琲好きの隠れ家カフェ

Information

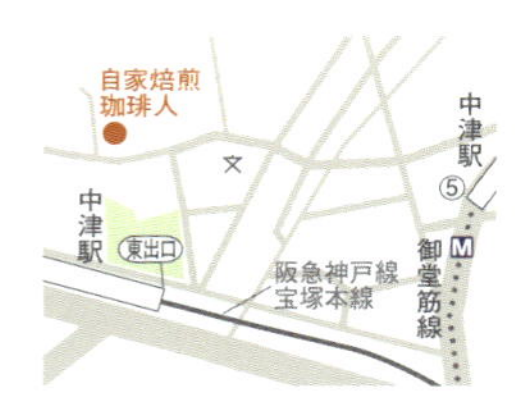

大阪市北区中津 3-18-4
06-6372-3732
9:00 ～ 17:00
土曜、第 1 日曜休み
テーブル 10 席、カウンター 5 席
全席禁煙
@kohijin_nakatsu

阪急中津駅東出口より北西へ 3 分、Osaka Metro
御堂筋線中津駅 5 番出口より西へ 5 分

左上：昔の名残があるカップを使うコーヒー 400 円
左下：猫好きの店主なので猫好きが集まる　上：ごまトースト 300 円。11 時まではドリンクセットで 100 円 OFF
左：焙煎機は今も現役

中津商店街の外れの路地を入った長屋の一角にあるお店。中に入るとカウンター席とテーブル席があり、決して広いとはいえない店内に、常連さんたちが楽しく集っています。

この店が開店したのは、今から37年前。当時は「ワークマンコーヒー」という名前で、店主の井口慶子さんの両親が営んでいました。神戸にしむら珈琲の創始者が、晩年故郷の大阪で開いた小さな店を両親が引き継いだという物語もあり、今も珈琲マイスターの忘れ形見である焙煎機が、この店で息づいています。

新鮮な豆を少量ずつ焙煎した自慢のブレンドは、ビターとマイルドから選ぶことができます。豆の配合の絶妙さも感じる香り高きコーヒーを求めて、老若男女が店を訪れます。『おばあちゃんの家みたいで落ち着く』って。お客さん同士が仲良くなるのもうれしいですね」。そんな雰囲気も含めて、また行きたくなるお店です。

Menu

カフェオレ	400 円
コーラ	400 円
シナモントースト	300 円
チーズトースト	300 円

冬場に人気の「オレンジジュース（H）」400 円

ゆっくりくつろぎに来てください。

店主・井口慶子さん

北　浜

Kitahama

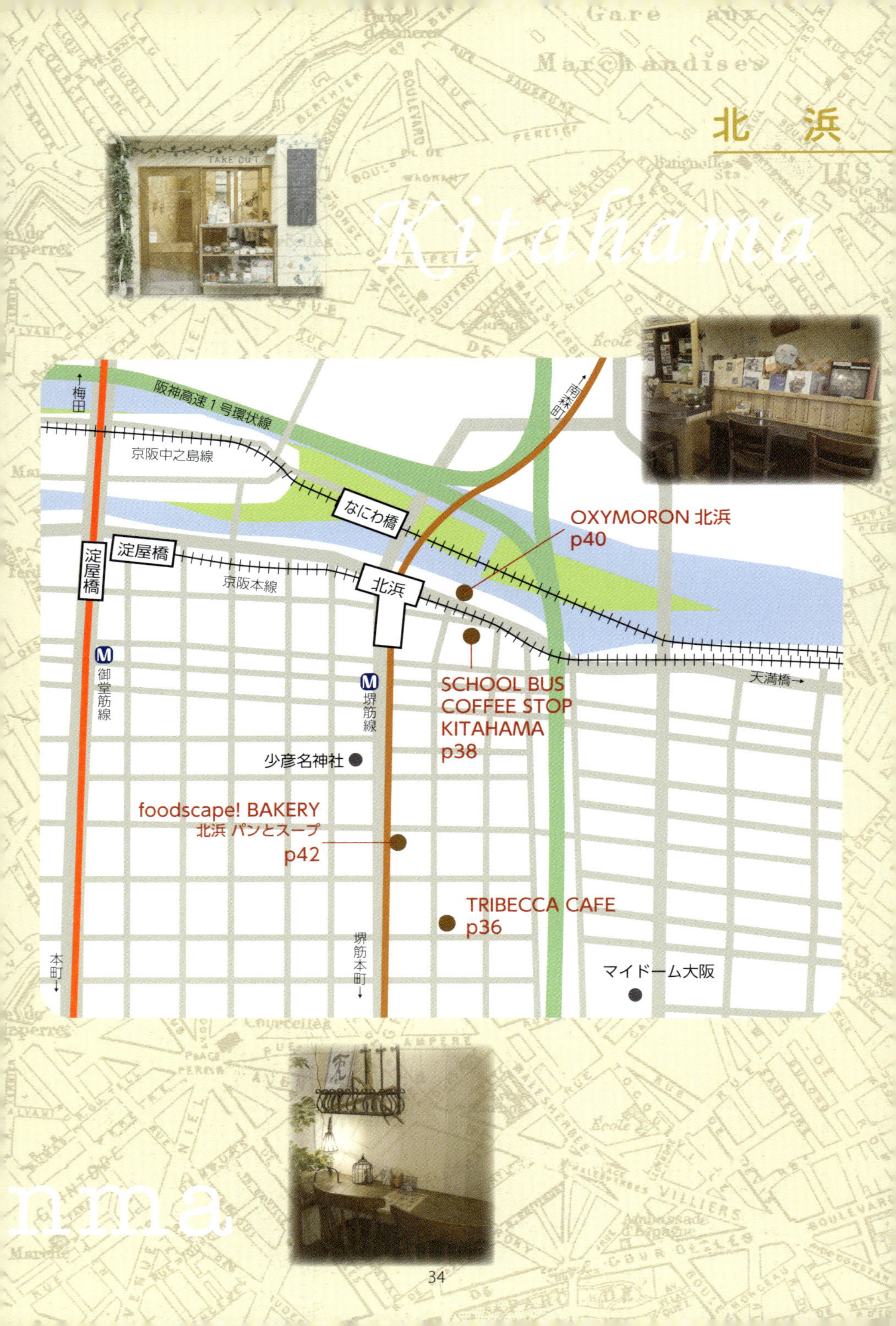

梅田
阪神高速1号環状線
京阪中之島線
なにわ橋
淀屋橋
淀屋橋
京阪本線
北浜
南森町
OXYMORON 北浜
p40
SCHOOL BUS
COFFEE STOP
KITAHAMA
p38
御堂筋線
堺筋線
天満橋
少彦名神社
foodscape! BAKERY
北浜 パンとスープ
p42
TRIBECCA CAFE
p36
本町
堺筋本町
マイドーム大阪
TAKE OUT

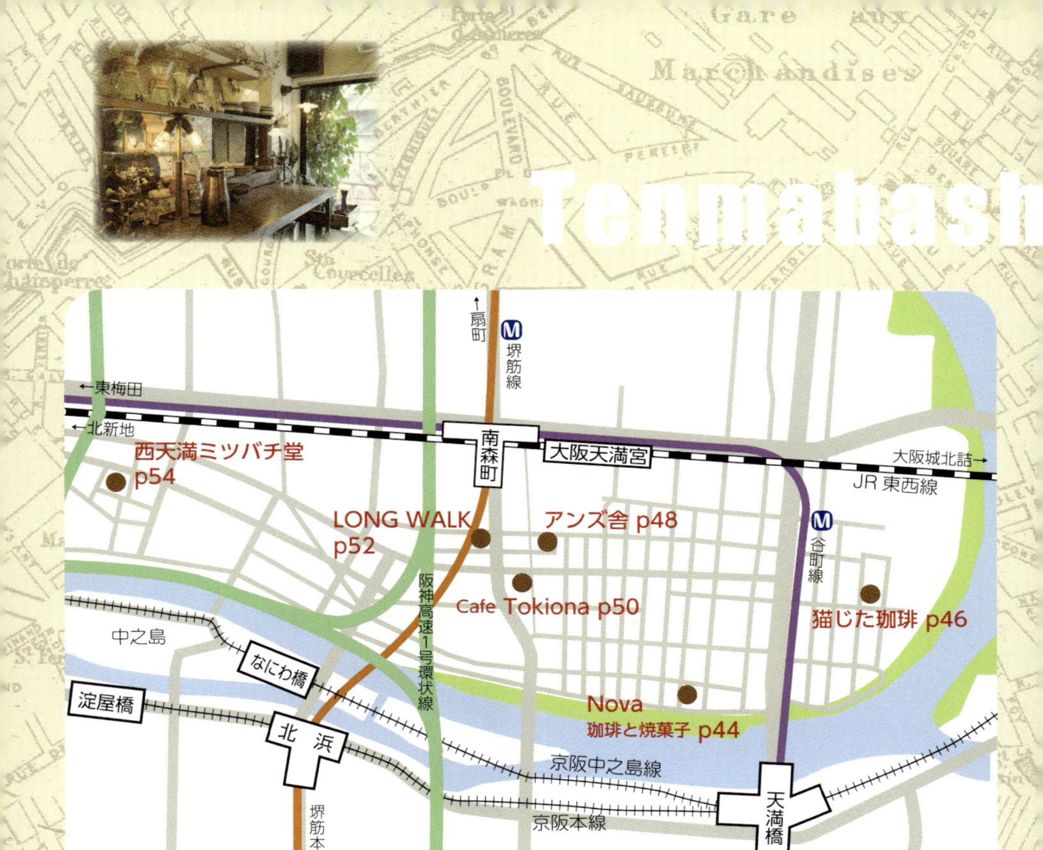

Tenma

天満橋
天満
西天満

Nishi-

TRIBECCA CAFE

トライベッカ カフェ

左上：秋冬限定のホットチョコレート 580 円　左下：バスクチーズケーキ 590 円。別添えの塩を少し付けて　上：コンクリート仕立ての店内　左：ミルクを煮詰めて作るかたやきプリン 560 円

Information

大阪市中央区瓦町 1-5-11 ループビル 1 階
06-6226-7074
カフェ 11:00 ～ 18:00(17:30LO、土日・祝日は 10:00 ～)
ディナー 18:00 ～ 22:30 (22:00 LO、平日のみ)
月曜休み
テーブル 10 席、カウンター 3 席、テラス 12 席
全席禁煙　@tribecca_cafe

Osaka Metro 堺筋本町駅 12 番出口より北東へ 4 分、
御堂筋線本町駅 1 番出口より東へ 10 分

ランチ限定の、スパイスを利かせたバターチキンカレー950円。バターのコクでまろやかな後味

オフィス街で楽しむ癒しのランチ&スイーツ

快適な履き心地とスタイリッシュなデザインを兼ね備えたシューズブランド「TRIBECCA」。実店舗を構えるにあたり、ひと休みできて幅広い層にも知ってもらえたらとカフェが併設されました。当初は近隣で働くオフィスワーカーの来店を想定していましたが、かわいらしいスイーツや店内が話題になり、今では遠方から訪れる人も多い人気店です。

ランチメニューはバターチキンカレー、キッシュプレート、日替わりプレートの3種類を用意。野菜をたっぷり使ったり、雑穀米でヘルシーに仕上げたりと、健康志向な人にもよろこばれます。テラス席も心地よく、オフィス街であることを忘れてしまうほどです。

また、平日のディナータイムには雰囲気がガラリと変化。テラスでは炭火バーベキュー、店内では居酒屋メニューなどが楽しめ、お酒を片手にワイワイ賑わいます。

Menu

日替わりランチプレート	1200円
キッシュプレート	1050円
ほうじ茶キャラメルラテ	580円
抹茶ラテ	580円

ラテに可愛らしくトッピングしたホットドリンクは秋冬の人気メニュー

18時～のハッピーアワーではアルコールがぐっとお得に！

SCHOOL BUS COFFEE STOP KITAHAMA

スクールバス　コーヒー　ストップ　キタハマ

テーブルやチェア、本棚など、店内にあるものはすべて購入やオーダー可能

アメリカンなインテリアに心ときめく

Information

大阪市中央区北浜 1-5-8
06-6205-3739
10:00 ～ 18:00　不定休
テーブル８席、カウンター８席
全席禁煙、テラスのみ喫煙可
https://www.schoolbus.coffee/
@schoolbus_coffeestop

京阪北浜駅 30 番出口よりすぐ。Osaka Metro 堺筋線北浜駅３番出口より北東へ４分

左上：グッズや洋書が並ぶ　左下：フラットホワイト 550円。苦味とほのかな酸味が特徴　上：チーズケーキ600円、クッキー 250円　左：カリタとコラボしたコーヒーミル 6050円

リノベーションと中古物件仲介を手がけるスクールバス空間設計が、本社1階部分にコーヒースタンド兼ショールームとしてオープン。コンクリートの天井やインダストリアルな照明、壁一面の本棚など遊び心のある店内でひと息つけます。

コーヒーは、オーストラリアやニュージーランドで主流のフラットホワイトを中心にラインナップ。カフェラテよりもフォームミルクが少なめなので、エスプレッソ本来のコクや苦味が楽しめると評判です。コーヒーに合うようにとそろえるケーキやマフィン、クッキー類も好評で、一緒にオーダーすれば木のボードにのせて可愛らしく提供されます。

ランチなら、大きなソーセージにケチャップ&マスタードをたっぷりトッピングしたSCHOOLBUS DOGが◎。小麦の風味が生きたパンと食べごたえのあるソーセージを頬張れば、幸せがふわりと広がります。

Menu

オリジナルブレンド	500円
抹茶ラテ	700円
レモネード	600円
SCHOOLBUS DOG	680円〜

**フラットホワイトに
ジンジャーマンクッキー 250円を添えて**

ミルクの風味が楽しめるラテも人気です！

バリスタ・橋本みなみさん

OXYMORON 北浜

オクシモロンきたはま

左上：さわやかな風味のレモンケーキ 530 円、すももラッシー（季節限定）790 円　左下：物販コーナー　上：1 階はカウンター席もある　左：2 階からの風景は 1 階とは少し趣が異なる

Information

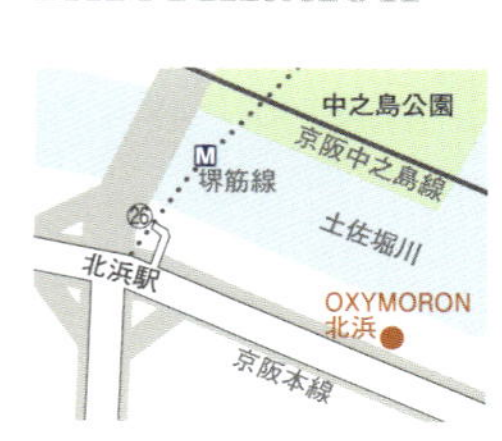

大阪市中央区北浜 1-1-22
06-6227-8544
11:30 ～ 17:30（16:30 カレー LO、17:00 スイーツ、ドリンク LO）　水曜休み（祝日は営業、翌日休）
テーブル 46 席、カウンター 3 席　全席禁煙
https://www.oxymoron.jp/
@oxymoron_kitahama

Osaka Metro 堺筋線・京阪本線北浜駅 26 番出口より 2 分

看板商品の「和風キーマカリー」1390円。辛さ度合は甘口から激激まで6段階ある

レトロな空間で楽しむ独自の味と景色

個性あふれるカレー、丁寧に淹れたコーヒー、懐かしい味がするスイーツ、そして落ち着く空間が魅力のOXYMORON。2008年に鎌倉で開店し、北浜店は関西初の店舗として2017年にオープンしました。登録有形文化財に指定された建物のなかで、川や美しい形の橋を楽しめるロケーションはこの店ならではです。

カレーは、根菜と豚ひき肉を使った看板の和風キーマカリーと香味野菜好きにはたまらないエスニックそぼろカリーのほか、月替わりの北浜店限定メニューの3種を用意。添えられたおつけものとくるみのおやつも絶妙です。スイーツは、定番のカスタードプリン、チーズケーキ、レモンケーキほか、季節限定アイテムなど約10種類がスタンバイします。平日はサラリーマンやOL、ママ友、休日はファミリー層の利用が多いそうですが、いずれにしても行列必至。味・雰囲気ともに大満足の和み空間です。

Menu

スコーン（季節のジャム付）530円

季節のクルフィ	530円
チーズケーキ	600円
カスタードプリン	530円
ゆずスカッシュ	730円

15時以降がスムーズです。
おひとりさまでもお気軽に。

foodscape! BAKERY 北浜 パンとスープ

フードスケープ ベーカリー きたはま パンとスープ

左上：ドイツの家庭の味。ベルリン風ドーナッツ 308 円、国産レモンのベルリン風ドーナッツ 330 円　左下：炭焼きグリルブース　上：パンがぎっしりと並ぶ　左：パンに合うコーヒーや紅茶

Information

大阪市中央区平野町 1-7-1 堺筋髙橋ビル 1 階
06-4256-0085
10:00 ～ 18:00（17:30LO）
月曜休み
カウンター 8 席
全席禁煙
https://food-scape.com/

Osaka Metro 堺筋線北浜駅 5 番出口より南へ 5 分、御堂筋線淀屋橋駅 11 番出口より西へ 10 分

店内で熱々を食べたい、山形豚の自家製ベーコン厚焼きグリル605円、
本日のスープ（ボルシチ）550円

食を楽しむ、サスティナブルなパンとスープ

2021年11月、北浜に移転オープン。当初の理念を受け継いで、食材に対する思いは変わらず、店内に設けたキッチンで料理を作り、ベーカリーでパンを焼いています。店名のとおり、パンとスープを今までにないスタイルで提供し、仕込みの食材で残った部分を使いきる「本日のスープ」は、日替わりではなく、その日に使われた素材によって決まるというスタイル。食品ロスをなくしたいという思いで作るサスティナブルなスープです。しっかりとした野菜感のボルシチをはじめ、今後は味噌汁や粕汁、豚汁なども考案中とのこと。

パンや焼菓子など50種類以上が並ぶ店内には炭焼きグリルブースがあり、シェフが作った自家製ベーコンを焼いてサンドにするなど、できたてのベーカリーメニューが人気です。コーヒーは「北浜ポート焙煎所」の豆を使い、どんなパンにもよく合うバランスのよさが特徴です。

Menu

カフェアメリカーノ	398円
イングリッシュブレックファースト	398円
レモンスカッシュ	499円
ジンジャーエール	499円

※表記の価格はすべてイートイン価格

カフェラテ　458円

グリルブースを生かしたメニューを考案中です！

店長・里井克圭さん

Nova 珈琲と焼菓子

ノヴァ　こーひーとやきがし

ゆったりとした時間が流れる店内。テーブルに置かれた枝木は季節ごとに変わり、シンプルな空間にたおやかな表情を演出

コーヒーと焼菓子のペアリングを心ゆくまで

Information

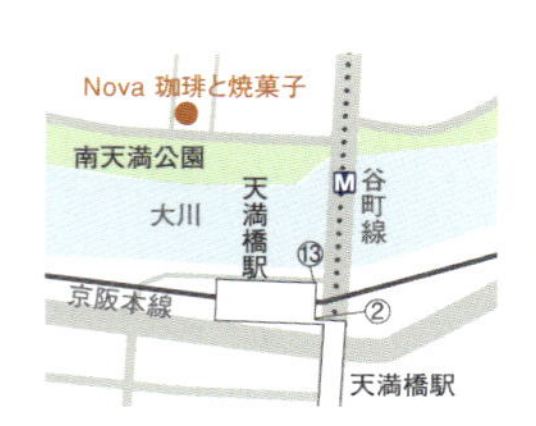

大阪市北区天満 3-1-5 南天満ビル 1 階
06-4792-7796
8:00 ～ 17:00（モーニングは～ 11:00）
水・木曜休み（祝日は営業、翌日休み）
テーブル 10 席　全席禁煙
https://www.novajp.com/
@nova___jp

Osaka Metro 堺筋線天満橋駅 2 番出口、京阪天満橋駅 13 番出口より北西へ 5 分

左上：コーヒーはブレンドとシングルで計10種類を提供　左下：桃のロールケーキ550円　上：クリームにコーヒーを混ぜ込んだモカモンブラン1710円　左：コーヒー豆や焼菓子の販売も

海外を含め1000軒以上のカフェを巡ったオーナーの瀬戸家さんが、「理想のカフェを作りたい」とオープン。真ん中に据えた大きな木製テーブルをはじめ、ペンダントライトや枝木など、こだわり抜いた調度品とビンテージスピーカーから流れる心地よい音楽に包まれながら、とっておきの時間が過ごせます。

コーヒーは「2杯目が飲みたくなる」をテーマに、深煎りの「ニレ」と浅煎りの「ツバキ」の2種類を考案。豆の特性に合わせてネルドリップとペーパードリップを使い分け、コーヒーのおいしさを最大限に引き出します。また、焼菓子とのペアリングも大切にし、口の中で一緒に溶け合ったときの香りや食感も抜群です。

器はすべて作家ものを使用。手仕事ならではの息遣いが聞こえてくるような器と、そこに華を添える素敵なお菓子。おいしくて、静謐で、豊かなカフェタイムがここにあります。

Menu

ほろ苦いカラメルソースがコーヒーとマッチするプリン460円

あんバタートースト（モーニング限定・ドリンク付）	680円
抹茶のテリーヌ	550円
自家製珈琲ゼリー	550円
カフェオレ	660円

モカモンブランは毎年秋の提供です。お楽しみに！

オーナー・瀬戸家純一さん
パティシエ・宮本みゆきさん

猫じた珈琲

ねこじたこーひー

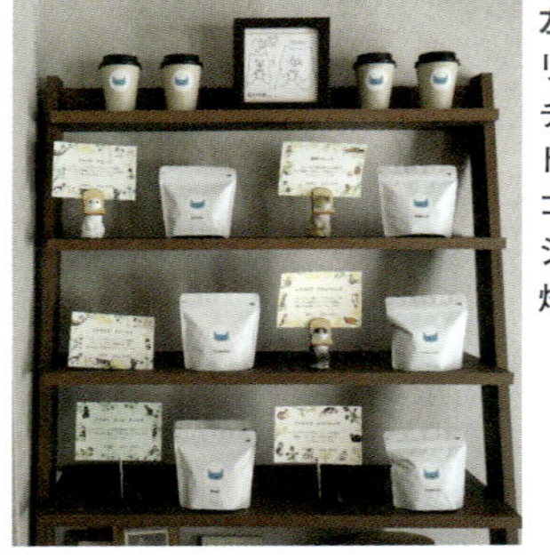

左上：バニラビーンズと生クリームたっぷりのプレミアムチーズケーキ。単品580円、ドリンク代＋400円　左下：コーヒーの麻袋が並ぶ　上：シンプルな店内　左：自家焙煎コーヒー豆も販売

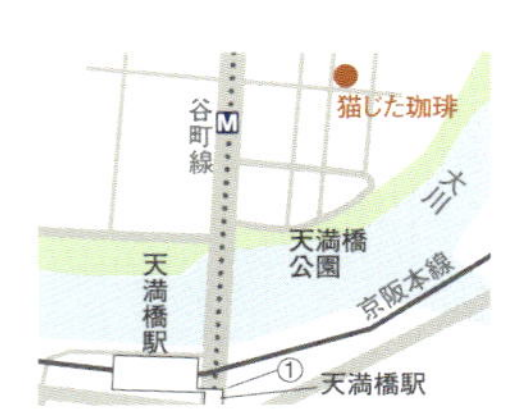

大阪市北区天満 1-15-5 川勝ビル 1 階
電話なし
11:00 ～ 18:30（18:00LO）　※金・土・日曜、祝日は、プラス 19:00 ～ 22:00（21:30LO）の 2 部制
不定休
テーブル 14 席　全席禁煙
@nekojitacoffee

Osaka Metro 谷町線天満橋駅 1 番出口または京阪天満橋駅より北東へ 10 分

フレッシュイチジクとピオーネのコンポートが美味。
大人の贅沢パフェ〜秋の実り、葡萄と無花果〜
2280円、ペアリングセット＋400円

コーヒーとのペアリングで、季節のパフェを堪能

ビルが建てられた当時の40数年前は喫茶店だったという、丸い窓がレトロな店構えのカフェ。２０２０年に、自家焙煎スペシャルティコーヒー専門店としてオープンしました。店主の森田晴香さんはパティシエでもあり、コーヒーと、そこからイメージする「大人の贅沢パフェ」をペアリングで提供します。季節ごとに変わるパフェとシングルオリジンは、例えば夏は桃を使ったパフェにパナマのゲイシャ、秋はブドウとイチジクのパフェにコロンビアの希少なピンクブルボン種。いくつもの層になったパフェは食べ進めるにつれて味が変わり、組み合わせを意識したスペシャルティコーヒーは、さめていくごとに味わいが深まります。

かわいらしい店名は、森田さんが「猫好き&ちょっと猫舌」だからつけたとか。土日・祝日は夜も営業し、吊り下げ式の照明とキャンドルが、昼間と違う雰囲気を演出します。

Menu

カフェラテ	600円
自家製プリン、特製フィナンシェ	
	単品580円、ドリンク代＋400円
ジンジャーエール	560円

季節ごとに変わるブレンドコーヒー
新緑ブレンド　680円

珈琲とスイーツのペアリングで、ホッとする時間を。

店主・森田晴香さん

アンズ舎

アンズや

店主とのおしゃべりも楽しいカウンター。テイクアウトの焼菓子や雑貨も並ぶ

サイフォンコーヒーと焼菓子でほっと一息

Information

大阪市北区天神橋 1-18-19 フラットワン天神橋 1 階
電話なし（anzuya02012@gmail.com）
11:30 ～ 19:00（18:45LO）土曜は 12:00 ～
月曜休み、日曜・祝日不定休
カウンター 4 席　テーブル 4 席
全席禁煙
http://anzucolocolo.blog.fc2.com/

Osaka Metro 谷町線・堺筋線南森町駅、JR 東西線
大阪天満宮駅 3 番出口より南へ 3 分

左上：スコーンとコーヒーのセット850円　左下：サイフォンコーヒーを淹れる店主の東さん　上：ベトナムのサンドイッチ、バインミーのセット900円　左：奥にはテーブル席もある

2022年に開店10周年を迎えたアンズ舎。大阪天満宮からすぐのところにある、サイフォンコーヒーと焼菓子と、ちょっとおもしろいことに出会えるお店です。「気楽にふらっと入って、ホッとしてもらえたら」と店主の東杏子さん。観光や参拝客のほか、常連のお客さんも多く訪れます。

カウンターの中で東さんが淹れるサイフォンコーヒーは、芳ばしい香りがたち、五感すべてからおいしさが感じられます。オリジナルブレンドは、グァテマラをベースにしたほどよい苦みで後口はすっきり。カレルチャペックの紅茶やソフトドリンク、アルコールもそろっています。東さん手づくりの「本日のおやつ」は、パウンドケーキやプリンなど、素朴で甘すぎない、毎日食べても飽きないお菓子。体によい素材にもこだわっています。店内では、人と人のつながりを大切にした、ライブなどのイベントや食材の販売などもしています。

Menu

アンズ舎ブレンド（H）	500円
カレルチャペックの紅茶	500円〜
プリン	500円
焼菓子	170円〜

クッキー　200円
コーヒーとセットで650円

気軽に気分転換しに来てくださいね。

店主・東杏子さん

Cafe Tokiona

カフェトキオナ

ヴィンテージの壁紙や温かみのあるレトロな照明など、古き良きものにつつまれた空間

ノスタルジックがテーマの空間を楽しむ

Information

大阪市北区天神橋 1-12-19
06-6355-1117
7:00 ～ 18:00（フード 17:00、ドリンク 17:30LO）
※モーニング 7:00 ～ 11:00（10:30LO）、ランチ 11:00 ～ 15:00（14:30LO）、カフェ 14:30 ～
水曜休み　テーブル 40 席　全席禁煙
http://baton-group.com/shop-list/cafe-tokiona/

Osaka Metro 谷町線・堺筋線南森町駅４Ｂ出口、JR 東西線大阪天満宮駅３番出口より南へ５分

左上：レトロな家具や調度品をディスプレイ　左下：クラシカルプリン 480 円
上：ボリュームたっぷりの黄金比ハンバーグ＆有頭エビフライプレート 1650 円
左：シネマベンチは特等席

雑貨屋さんからスタートし、2012年にオープンした人気カフェ。ヴィンテージ家具、音楽、空間をトータルに演出し、懐かしさが漂う雰囲気そのままに、2019年、徒歩10分ほどの現在の場所に移転しました。1階には2人用のテーブル席がずらりと並び、2階にはソファ席のほか、座面を倒して腰掛ける古い映画館のシネマベンチも。吹き抜けの向こうは、テーブルや椅子、スタンドなどがディスプレイされた秘密の部屋のような空間です。

ランチメニューは昭和の香りたっぷりの太麺ナポリタンや、ハンバーグやエビフライがのった洋食ランチが人気です。モーニングは、はちみつレモントーストやあん塩バタートーストなど各種そろい、パンは近くにある姉妹店 COBATO836 こだわりの山食を使用。足つきの銀皿にのったレトロなビジュアルのクラシカルプリンは、やさしい甘さとほろ苦いカラメルに、固めの食感がマッチしています。

Menu

トルコライス	1210 円
ミートソーススパゲッティ	1100 円
カフェインレス珈琲	605 円
モーニング	ドリンク代＋ 220 円〜

Tokiona 特製太麺ナポリタン
1100 円（目玉焼きトッピング＋ 110 円）

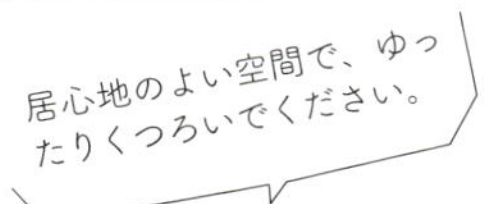

オーナー・谷野恵子さん

LONG WALK

ロングウォーク

高い天井に、大きな窓。ゆったりと過ごせる空間が広がる

気軽にJAZZを楽しみながらコーヒーを

Information

大阪市北区天神西町 8-19 法研ビルディング 1 階
電話なし
8:00 ～ 19:00（土日・祝日は 9:30 ～ 18:00）
木曜休み・不定休（祝日は営業）
テーブル 14 席、カウンター 5 席
全席禁煙
@longwalkcoffee

Osaka Metro 谷町線・堺筋線南森町駅 2 番出口より南へ 3 分。JR 東西線大阪天満宮駅 3 番出口より南へ 3 分

左上：ピンクの大きな本棚が印象的な店内　左下：キーマカリー 850 円　上：ガトーショコラ 1 ピース 500 円、マイルドブレンド 500 円
左：窓側テーブル席の後ろにはイギリス国旗が

ウイリアムモリスの壁紙、イギリス国旗が飾られた店内には、いつも心地よいジャズのレコードが流れています。「ジャズが全然わからない人も大歓迎。おしゃべりを楽しむように、音楽も楽しんでいただければ」と店主の愛知アンディ有さん。バンド活動を経て、レコード収集を始め、ジャズの魅力に引き込まれたそうです。店名の「ロングウォーク」は、かつてイギリスで、店主のお父さんが住んでいた家があった通りの名前から。ジャズと店主のルーツが融合し、アメリカとイギリス両方のテイストが楽しめる空間となっています。

コーヒーは、ペーパードリップで淹れる3種類のブレンドをはじめ、エアロプレスやクレバー、ネルドリップなど、抽出方法が選べます。10時30分までのモーニングや、人気のキーマカリーやナポリタン、チキンサンドが、サラダ・ドリンク付きのセットになるランチメニューもあります。

Menu

クロックムッシュ 730 円

キーマカリーセット	1100 円
（11:30 ～ 14:00、サラダ・ドリンク付）	
ナポリタン	800 円
カフェオレ	580 円

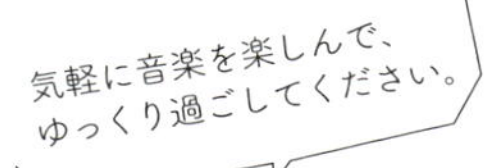

店主・愛知アンディ有さん

西天満ミツバチ堂

にしてんまミツバチどう

古道具屋で集めた家具たちも、
テーブルと雰囲気がぴったり

蜂が蜜を集めるようにおいしい一品が集合

Information

大阪市北区西天満 2-9-2　真和ビル中１階
06-6363-3288
11:30 ～ 19:00（月曜は～ 15:30、木・金曜は～ 21:00、LO 各 1 時間前、月曜 30 分前）
土日・祝日休み
テーブル 16 席
全席禁煙
@mitsubachidou

Osaka Metro 御堂筋線淀屋橋駅 1 番出口より北へ 6 分

左上：テイクアウト用の自家製焼菓子は6～7種類用意　左下：愛好品が並ぶガラス棚　上：一番人気の玉子焼サンド780円、はちみつミルクコーヒー620円　左：レトロ感あふれる書棚

2022年で20周年を迎えるカフェ。オープン時に、この場所で作ってもらったという特注の大きなテーブルが店の顔。アンティークのチェアも雰囲気たっぷりで、懐かしい気持ちになります。店主の柏木美加さんと岩藤（いわどう）直子さんは「おひとりさまがのんびり過ごすのにちょうどいいんです」と微笑みます。

オフィス街にあるので、平日の昼は野菜たっぷりの日替わりランチ目当ての常連客が多く訪れます。木・金曜のみ夜営業をしているので、夜定食も食べることができます。

カフェメニューで不滅の一番人気は、玉子焼サンド。ふわふわの和風玉子焼きをふわふわのパンで挟んだ名物です。季節ごとに入れ替わる自家製ケーキは、季節のフルーツを使ったパフェなどもあり、それぞれにファンがついています。最近始めた焼菓子も評判で、テイクアウト用に求めるお客さんも多いそうです。

Menu

お得なディナーセット（木・金曜のみ）	1780円
紅茶（7種類）	560円～
ハチミツゆずネード	590円
季節のケーキ	500円～

季節のフルーツパイ、いちじくのパイアイスクリーム680円

中之島散策の帰りに寄ってください。

店主・柏木美加さん
岩藤直子さん

リバーサイドカフェ

大阪市中央公会堂、大阪市立東洋陶磁美術館が
立地する中之島公園界隈は、
水の都・大阪のシンボル的なスポット。
リバーサイドカフェも多く、
テラスから川と一緒に
美しい建物を臨むことができます。

難波橋は通称ライオン橋と呼ばれる

ライオン橋のたもとで美味なるコーヒーを

名古屋の「コーヒーカジタ」のスペシャルティーコーヒーを堪能できる土佐堀沿いのお店。煎り具合の違う４種類とシングルオリジンがそろいます。人気は、自家製ケーキやサンドイッチ。テラス席からは難波橋がすぐ近くに見え、イタリアンレストランや、その奥に東洋陶磁美術館も見えます。

ティラミス 440 円、アイスラテ 660 円

MOTO COFFEE

大阪市中央区北浜 2-1-1 北浜ライオンビル
06-4706-3788　11:00 ～ 18:00（17:30LO）　不定休　全席禁煙
http://shelf-keybridge.com/jp/moto/

座席は２階席や地下席も

開放感たっぷりで居心地抜群

2017 年、北浜にオープンした喫茶＆ BAR。店内に一歩入ると、新しさと懐かしさが同居する空間です。一面ガラス張りの入口からは、外の景色まで一望できるのが特徴。看板メニューはシナモンの香り漂う揚げパン。そのほか、自家製スイーツも評判です。夕暮れを見ながらのアルコールも◎。

小さなテーブル付きのテラス席

ラズベリーチョコブレッドプディング 430 円、抹茶オレ 580 円

MOUNT

大阪市中央区北浜２-1-17 北浜ビジネス会館ビル１階
06-6227-8024
11:00 ～ 18:00（日曜は～ 17:30、LO は各 30 分前）
休みなし　テラス席は喫煙可
https://www.mountkitahama.com/

大きな窓から風景を臨める

中央公会堂目の前の絶景ロケーションが自慢

ファンシネーションソーダ 550 円

コンクリート打ちっぱなし×木でおしゃれな雰囲気の店内は、テーブル席や個室など、さまざまなタイプの座席があります。おすすめは、中央公会堂が目前に見られるリバーサイドテラス席。サンドイッチやドリンクなど、SNS 映えする人気メニューも多く、景色とともに楽しめます。

&ISLAND

大阪市中央区北浜 2-1-23 日本文化会館１階
06-6233-2010
11:00 ～ 21:30　不定休
喫煙スペースあり
https://andisland.com/

広々としたテラス席

ジンジャーポークライス 1000 円

Tanimachi Yonchoume

谷四

↑谷町四丁目
谷町線
gallery と cafe こここ
p72
松屋町筋
谷町六丁目
長堀鶴見緑地線
Madame Marie
p74
松屋町
エクチュア
からほり「蔵」本店
p76
←長堀橋
阪神高速1号環状線
玉造→
COCOA Shop AKAITORI
p70
空堀商店街
谷町九丁目↓
Tanimachi
谷 六
Rokuchoume

Hue Coffee Roaster

ヒューコーヒーロースター

白を基調とした開放的な店内。素敵なグリーン、珍しい塊根植物にも注目！

その日の気分に合わせて色で選ぶコーヒー

Information

大阪市中央区谷町 4-3-2
電話なし
8:00 ～ 19:00　月曜休み（祝日は営業）
テーブル 18 席、カウンター 5 席
全席禁煙
https://hue-coffee.jp/
@hue_coffee_roaster

Osaka Metro 谷町線・中央線谷町四丁目駅 7 番出口より谷町筋を南へ、1 筋目の角を東へ。駅から 3 分

左上：タコスプレート 880円（11時半～15時）　左下：優しい光がさしこむ人気のカウンター席　上：3種類のエスプレッソから選べるラテ 660円～　左：ベイクドチーズケーキ 660円

店名の「Hue」は、「色相」という意味。「色で選ぶコーヒー」をコンセプトにしたコーヒーにはMist Pink、Sunny Yellow、Picnic Greenなど、心惹かれる色の名前がついています。自家焙煎したコーヒーをスタッフみんなでテイスティングし、それぞれのコーヒーの味からイメージした色を、コーヒーの名前につけています。「さまざまな産地や焙煎具合のコーヒーを、気分によって気軽に楽しんでもらいたいんです」とバリスタの草原美咲さん。こだわりのコーヒーはもちろん、ソフトドリンクやランチづかいできるフードメニューもあります。

オーダー方法が、専用アプリを使ったモバイルオーダー、完全キャッシュレスと特長的。アプリの使用方法やオーダーについて迷ったときは、丁寧に教えてもらえるので安心です。コーヒー豆や、ドリップグッズなどの販売も豊富です。

Menu

ドリップコーヒー	495円～
テイスティングセット	1210円
ベジタブルケークサレ	660円
自家製ジンジャーエール	550円

色で選ぶラテ（HOT・ICE）は一番人気。660円

その日の気分でコーヒーを楽しんでください。

バリスタ・草原美咲さん

Towanoa

トワノア

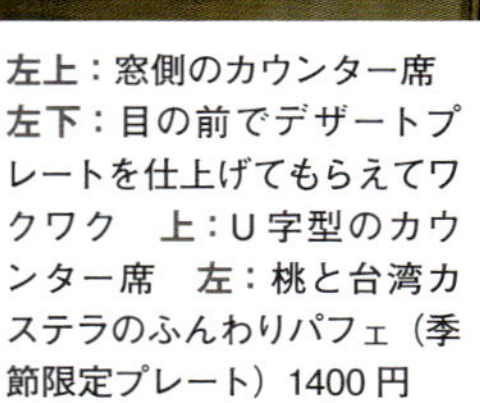

左上：窓側のカウンター席
左下：目の前でデザートプレートを仕上げてもらえてワクワク　上：U字型のカウンター席　左：桃と台湾カステラのふんわりパフェ（季節限定プレート）1400円

Information

大阪市中央区大手通 2-2-6 大手ビル 2 階
06-6809-7989
12:00 ～ 17:00（16:30LO）　火曜休み
カウンター 19 席
全席禁煙
@towanoa_

Osaka Metro 谷町線・中央線谷町四丁目駅 4 番出口より北西へ 8 分。谷町線・京阪天満橋駅 4 番出口より南西へ 8 分

季節ごとに替わるタルトが人気。ぶどうのタルト896円、ホットコーヒー469円

毎日でも食べたい季節のスイーツ

2020年にオープンしたTowanoa（トワノア）は、季節のフルーツを使った焼菓子と、おいしいコーヒーで人気のTawanico（タワニコ）の2号店。ゆったりとイートインできるオールカウンターのかわいいカフェで、1号店からすぐのビルの2階にあります。タワニコから育ったトワノアの名前は、オーナーの田脇さん夫妻の2人の子どもの名前から名付けられたそう。1号店で人気の季節のタルトなどはもちろん、基本的には同じものが食べられます。

ここならではのおすすめは、目の前で仕上げてもらえる、季節限定デザートプレート。キッチンを囲んだカウンター席で、季節のフルーツで構成されるパフェなど、おいしそうなデザートが完成するところを見られるのが、うれしいところです。北欧テイストの店内で、あたたかみのある北欧の器で提供されるお菓子は、ほっこり幸せな気分にしてくれます。

Menu

キャロットケーキ 467円

季節のタルト	784円～
おうちケイク	478円
ほうじ茶ラテ（H/I）	550円
オーガニックりんごジュース	499円

できたての季節のデセールプレートをぜひお楽しみください。

店主・田脇愛香さん

ASAKARA GOOD STORE

アサカラ グッド ストア

フランスのアンティークタイルやドライフラワーが目を引くおしゃれな店内

オーガニックな食事でハッピーな一日を

Information

大阪市中央区法円坂 1-4-6 法円坂ハイツ 1 階
06-6467-4009
8:00 ～ 18:00（17:30LO、土日・祝日は 7:00 ～）
火曜休み
テーブル 24 席　全席禁煙
https://asakara-gs.com/
@asakara_goodstore

Osaka Metro 谷町線・中央線谷町四丁目駅 10 番出口より上町筋を南へ、難波宮跡グランド角を東へ。駅から 8 分

左上：店内奥では食材などの販売も　左下：アサイボウル 1180 円　上：ブレックファーストフルオージー 1480 円　左：全粒粉食パンのサンドイッチ、サンライズスピナッチ 1180 円

「一日の始まりにワクワクするような食事をして、一日を楽しく過ごしてほしい」というコンセプトで、オーガニックの食材を使ったヘルシーな料理やスイーツを提供するオーガニックカフェ。イチオシのブレックファーストフルオージーは、ワンプレートで一日分の栄養素を摂取できる栄養満点のプレートです。見た目は豪快ですが、乳製品を使わないヴィーガン向けの自家製全粒粉パンや、無農薬のオーガニック野菜がたっぷりで、とてもヘルシー。ハンバーガー、サンドイッチ、お肉料理、スイーツにいたるまで、見えないところで、食材と手づくりに徹底的にこだわっています。

すぐ近くに緑がいっぱいの難波宮跡公園があり、1500円以上の商品を頼むと、無料でテーブルや椅子などおしゃれなピクニックセットがレンタルOK。そのまま公園に移動して、ピクニック気分の食事も楽しめます。

Menu

エッグベネディクト	1280 円〜
ヴィーガンハンバーガー	1480 円
ランチプレート	1280 円
バナナミルク	780 円

TOKYO COFFEE 焙煎の
AGS オーガニックブレンド 580 円

心がウキウキする食事を
用意して待っています。

スタッフ・永井寿季さん

おやつ cafe HOLIC

おやつ カフェ ホリック

左上：ショーケースに並ぶ季節の生菓子　左下：焼菓子はおみやげにもぴったり　上：お得なブランチのスコーンセット 170 円＋ドリンク代　左：ナチュラルな雰囲気で落ち着く店内

Information

大阪市中央区谷町 4-8-1-101
06-6949-1030
11:00 ～ 19:00
月・木曜休み（祝日は営業）
テーブル 8 席
全席禁煙
@oyatsu_cafe_holic

Osaka Metro 谷町線・中央線谷町四丁目駅 7 番出口より谷町筋を南へ 4 分

好きなケーキ＋ドリンク、＋200円でスコーンとブラウニーが付く「おやつプレート」

毎日食べたくなるようなおやつがいっぱい

「日常におやつの時間を」をテーマにした、季節のタルト、ショートケーキ、ロールケーキなどの生菓子、スコーンやキッシュ、クッキーなどの手づくり焼菓子が楽しめるかわいいお店です。使う食材にこだわり、旬のおいしいフルーツに合わせて、生クリームは甘さ控えめ、タルトの土台にもアレンジを加えています。迷う楽しみも味わってほしいと、種類が豊富。ケーキを数種類選んで、お皿に並べてもらうのもおすすめです。

毎朝焼き上げる人気のスコーンは、定番のバタースコーンと、週替わりのスコーンが2種。イートインでは、小倉あんサンド、バニラアイス（夏限定）などのトッピングも楽しめます。イートイン限定メニューのフレンチトーストやこばらプレート、おやつプレートなども人気。スイーツ同様、あたたかい手作り感のある店内でのイートインはもちろん、テイクアウトもOK。取り置きも可能です。

Menu

かわいいラテアートが人気のカフェラテ（H/I）495円

季節のケーキ	473円〜
フレンチトーストセット	758円〜
自家製ハニーレモン	572円
コーヒー	462円〜

ほっと一息、おやつの時間を楽しんでくださいね。

店主・保利夏美さん

森のらくだ

もりのらくだ

左上：人気の 19 種類のスパイス入りカレー（セット 1155 円～）　左下：カウンター席の前には絵本なども
上：ソファ席とテーブル席
左：紅茶や焼菓子、ジャムやカレースパイスの販売も

Information

公園
森のらくだ
谷町線
谷町3
本町通
谷町4丁目駅
中央線
阪神高速東大阪線
大阪合同庁舎

大阪市中央区徳井町 2-1-7
06-6946-7080
12:00 ～　※営業時間の詳細はブログで要確認
日曜休み
テーブル 8 席、カウンター 5 席　全席禁煙
https://morinorakuda.hatenablog.com/
※森のらくだで検索してください

Osaka Metro 谷町線・中央線谷町四丁目駅 4 番出口より西へ 5 分

いちじくのロールケーキ 550円
アッサムミルクティー（ポット）880円

最高級の紅茶とケーキで癒されたい

２０１０年3月のオープン以来、おいしい紅茶とケーキで人気の「森のらくだ」。こだわりの紅茶は、店主の色摩千晶さんがカフェを開く前に旅先でたまたま出会い、そのおいしさに魅了されたという、仙台のGANESH TeaRoomの「新茶の紅茶」。春夏秋の年3回、インドの茶園で摘み取られる最高級の茶葉を、シーズンごとに開催されるインド政府公認のオークションで競り落として輸入している、とても新鮮な紅茶です。香り豊かなダージリンストレートティー、牛乳と水で茶葉を鍋でぐつぐつ煮込むインド式のアッサムミルクティーが絶品。ケーキやカレーとの相性も、ぴったりです。

店内には、店名の由来になった、スイス人画家パウル・クレーの「リズミカルな森のラクダ」の絵が飾られ、絵のイメージに合わせた、やさしい色目の椅子を配置。リラックスできるあたたかい空間が広がっています。

Menu

カレーセット２種	1155円〜
ダージリンストレートティー　カップ	605円
ポット（カップ２杯分）	880円
スパイスミルクティー	715円

コトコト煮出して淹れる
アッサムミルクティー（カップ）605円

季節のロールケーキをおいしい紅茶と楽しんでくださいね。

オーナー・色摩千晶さん

COCOA Shop AKAI TORI

ココアショップ アカイトリ

S   

カウンター6席だけの、まるで隠れ家のようなお店。男性のひとり客も多い

老舗のココアの味を真摯に受け継ぐ専門店

Information

大阪市中央区谷町 6-4-8 新空堀ビル 1 階
080-6126-7536
13:30 ～ 18:30（18:15LO、土日・祝日は 11:30 ～）
月曜休み
カウンター 6 席　全席禁煙
https://www.akai-tori.jp
@cocoa_shop_akaitori

Osaka Metro 谷町線谷町六丁目駅 4 番出口より南へ 2 分

左上：ココアおうす チョコレート羊羹付き902円　左下：ウォールマグ シェイド3080円　上：アイスドリンクにはココアを凍らせた氷を使用。アイスミント715円　左：コロンビア産ココアゼリー（アイストッピング）693円

１９７２年創業、心斎橋の老舗ココアショップを引き継ぐ形で、現オーナーが２０１８年12月にこの地でリニューアルオープン。初代オーナーの人気メニューはしっかりと受け継ぎながら、ショコラティエでもある現オーナーが考案した、多彩なココアやスイーツがそろっています。

中でもぜひ飲んでみてほしいのが、アイス仕立てのココア。厳選したココアパウダーで濃厚なココアを炊き上げ、ひと晩寝かせてエイジングさせることで、飲んだときの滑らかさがグッと増すのだそう。ミントやソーダを加えれば爽やかさも楽しめ、ココアのさまざまなおいしさが発見できます。

ココアに合うまろやかな生クリームや、ベルギー産のクーベルチュールチョコレートなど、使用する材料もとことん追求。ひと口で感動が広がる、贅沢なココアとスイーツが堪能できます。

Menu

アイス バーディココア	660円
ココアソーダ	660円
チーズトースト	550円
アイスクリーム	440円

トーストとベルギー産バターをのせたブレッド＆バター770円

素材にこだわり、最上のおいしさを提供します。

オーナー・前田貴子さん

gallery と cafe こここ

ギャラリーとカフェ こここ

左上：ギャラリーにもなる明るい店内　左下：バナナトースト 600 円　上：おむすびセット（ほっこりお出汁付き）550 円　左：土楽窯の土鍋や手ぬぐいなど物販も人気

Information

大阪市中央区安堂寺町 2-3-28
電話なし
11:00 ～ 17:00
木曜休み　不定休
テーブル 10 席、カウンター 4 席
全席禁煙
@cococo_cafe

Osaka Metro 谷町線谷町六丁目駅 5 番出口より西へ 3 分

しっとりふわふわのシフォンケーキ 400 ～ 450 円。
プレーンと本日のシフォンケーキあり

やさしいギャラリー空間の素敵カフェ

真っ白ではなく、少しピンクっぽい、やわらかく落ち着き感のある「白」にこだわったという店内。ゆったりとした、あたたかい空間が広がっています。注染手ぬぐいの専門店「にじゆら」の手ぬぐいや、伊賀の窯元「玉楽窯」の土鍋などの販売、ギャラリースペースにもなっています。

こここの人気は、米粉やキビ砂糖など、体にやさしい素材を使った焼菓子。玉楽窯の土鍋で炊き上げたごはんと、老舗「こんぶ土居」の佃煮昆布を使用した「おむすびセット」も自慢の一品です。女性が食べやすいサイズで、小腹がすいたときにぴったり。たまごタルタルトーストなど、トーストメニューも豊富です。ハンドドリップで淹れるコーヒーは、自家焙煎珈琲店 Weg のブレンド。苦みとコクのバランスが絶妙です。デカフェや和紅茶も用意しています。産地や人とのつながりなど、ストーリーのあるメニューぞろいです。

Menu

アイスコーヒー 650 円
自家製ハニージンジャー 600 円

たまごタルタルトースト	600 円
米粉カヌレ	300 円
プリン	450 円
和紅茶	650 ～ 700 円

ギャラリーとカフェで心豊かな時間をお過ごしください。

店長・中田あいさん

Madame Marie

マダムマリー

色鮮やかなアートを前にゆったりくつろげる広いカウンターが心地よい

贅沢な空間で楽しむ伝統的なお菓子

Information

大阪市中央区上町 1-25-4 上町ビルヂング 1 階
06-4256-4863
8:00 ～ 17:00
火・水曜休み
テーブル 2 席、カウンター 11 席
全席禁煙
@madamemarie.kissa

Osaka Metro 谷町線谷町六丁目駅 7 番出口より長堀通を東へ 5 分

左上：カウンターには万里さんセレクトのカップが並ぶ　左下：自家製レーズンバターサンド 450円　上：りんごたっぷり、りんごのタルト 780円とコーヒー 550円　左：明るい窓際席

古き良き時代の純喫茶を、今の時代に合わせてつくったという「マダムマリー」。歴史ある建物を再生したコンクリートの打ちっぱなしのスタイリッシュな店内に入ると、温かい色合いの素敵なアートと、広いモルタルのカウンターが迎えてくれます。アートは、東京を拠点に活躍するグラフィックデザイナー、藤田二郎さんの作品。年代物のJBLのスピーカーから流れるレコード音楽など、そこかしこにこだわりがちりばめられた、上質で落ち着く空間です。

店名の「マダムマリー」は専属パティシエ、藤田万里さんの名前から。万里さんのスイーツは、昔からのレシピでつくるオールドファッションスタイルです。甘さ控えめのケーキや焼菓子、季節ごとのパフェや、モーニングもファンが多いそう。注文を受けてから豆を挽いて、一杯ずつハンドドリップで淹れるコーヒーもおすすめです。

Menu

濃厚チーズケーキ	600円
スコーン	350円
サラダスコーンセット	1150円
スムージー	700円～

モーニング（8～11時）700円
※和食モーニングもあり

ゆったりと空間を楽しんでいただけたらうれしいです。

店長・木村衣織さん

エクチュアからほり「蔵」本店

エクチュアからほり「くら」ほんてん

重厚な一枚板のカウンター席は、2階から蔵の雰囲気を満喫できる

有形文化財の建物で楽しむチョコレート

Information

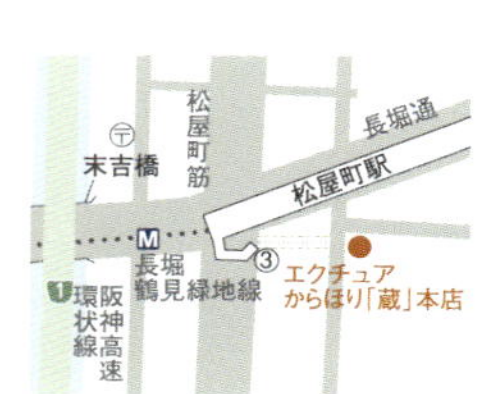

大阪市中央区谷町 6-17-43　練－LEN
06-4304-8077
11:00 ～ 20:00（19:30LO）
水曜休み（祝日は営業）
テーブル 23 席、カウンター 4 席
全席禁煙
@ekchuahs

Osaka Metro 長堀鶴見緑地線松屋町駅 3 番出口より右手石段上がりすぐ

左上：落ち着いた雰囲気の1階席　左下：チョコレートや焼菓子がずらり　上：サターンケーキとチョコレートドリンク（セット 1210 円）　左：オリジナルチョコレートパフェ 1100 円

登録有形文化財に指定された「小森家住宅」の蔵をリノベーションした、チョコレート専門店。柱には、文化８年（１８１１年）という年号も記されています。店内には、オーナーがヨーロッパで集めたチョコレートにまつわるポップなポスターが飾られ、重厚な蔵の雰囲気にマッチして、とてもおしゃれです。

歴史のある落ち着いた空間で楽しめるのは、本場ベルギー産クーベルチュールをふんだんに使い、日本人の繊細な味覚に合うようにつくられた、多彩なチョコレートです。様々な表情のチョコレートケーキ、チョコレートドリンクのセットは、チョコレート好きにはたまらない組み合わせ。チョコドリンクにアイスクリームをのせたチョコドリンクデザートや、温かいチョコレートがアイスクリームにかかった、定番のオリジナルパフェなど、本格派のおいしさが堪能できます。

Menu

ケーキセット	1210 円〜
プラリネセット	1100 円
チョコレートフロート	935 円
チョコレートドリンク	715 円

お気に入りのチョコレートを選ぶのも楽しい

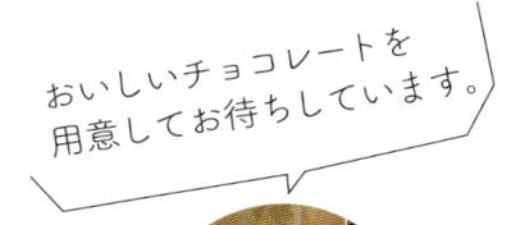

店長・小澤美恵さん

堀江
南船場

Minami-Senba
Horie
↑本町
↑本町
wad cafe p88
阪神高速1号環状線
御堂筋線
四つ橋線
西大橋
長堀鶴見緑地線
心斎橋
四ツ橋
珈琲とたまごサンド
p84
Abel coffee
p86
喫茶と菓子 タビノネ
北堀江店 p80
ROCKS cafe
p82
なんば↓
なんば↓

Utsubo Kouen
Awaza
靭公園
阿波座
↑肥後橋
四つ橋線
阪神高速1号環状線
neji p90
土佐堀通
←野田阪神
BOOKS&CAFE 喫茶去
p94
靭公園
なにわ筋
CHASHITSU
JapaneseTea & Coffee
p92
千日前線
喫茶 水鯨 p96
本町通
阪神高速 16 号大阪港線
本 町
堺筋本町→
中央線
阿波座

喫茶と菓子 タビノネ 北堀江店

きっさとかし タビノネ きたほりえてん

S T G

カウンターや椅子は純喫茶時代から使われていたものを使用

重厚な雰囲気の店内で楽しむ華やかなスイーツ

Information

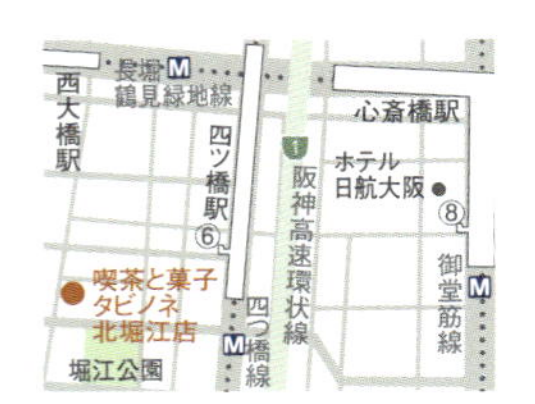

大阪市西区北堀江 1-13-20
080-9170-8782
10:00 ～ 18:00（土日・祝日は～ 19:00、各 1 時間前 LO）
木曜休み
テーブル 12 席、カウンター 7 席　全席禁煙
https://coffee.tabinone.net/
@tabinonekashi

Osaka Metro 四つ橋線四ツ橋駅 6 番出口より西へ 6 分。
御堂筋線心斎橋駅 8 番出口より西へ 10 分

左上：米粉入りの焼ドーナツ　左下：ドライフラワーやブランコなどの装飾が印象的　上：季節のフルーツとアイスをトッピングしたフルーツトースト850円〜
左：ソーダ各種600円〜

かつて純喫茶だった店舗を、当時の意匠や雰囲気を残しながら〝レトロ喫茶〟としてリニューアルオープン。厳選したコーヒー農園から直接仕入れた豆を焙煎し、スペシャルティコーヒーを提供します。オリジナルブレンド「蛍火」は、グァテマラを中心に4種類の豆を配合。中深煎りで焙煎し、やわらかな口当たりとまるでプルーンのようなほのかな甘味に酔いしれます。

弾けるような食感のプリンや、季節のフルーツをたっぷりトッピングしたトーストなど、スイーツメニューも大人気。シンプルな材料で作り上げているからこその飽きのこない味わいと、パッと華やぐルックスで、「何度もオーダーしたくなる」と評判です。そのほか、米粉入りでむっちり食感のドーナツや多彩な焼菓子、カフェオレベースの販売も。イートインでもテイクアウトでも、コーヒーとお菓子を心ゆくまで楽しめます。

Menu

アイスコーヒー	500円
カフェオレ	600円
バターサンド	520円
タビノネのコーヒーゼリーパフェ	900円

プレーンなプリン550円のほか
フルーツをトッピングしたものも人気

中崎町にある〝タビノネ〟
にもぜひお越しください！

ROCKS cafe

ロックス カフェ

コンクリートと木の質感を大切に、モダンな雰囲気を演出した店内

シックで落ち着いた空間でコーヒーブレイク

Information

大阪市西区北堀江 1-13-11 1 階
06-6538-7778
9:00 ～ 19:00（18:30LO）
12/31、1/1
テーブル 35 席
全席禁煙
@rocks.cafe

Osaka Metro 四つ橋線四ツ橋駅 6 番出口より西へ 6 分。
御堂筋線心斎橋駅 8 番出口より西へ 10 分

左上：カラフルカップアイスクリーム495円　左下：京都宇治産茶葉のほうじ茶ラテ605円　上：とろ～りチーズがたまらないROCKS LUNCH SET 770円　左：店内奥は話し込むのにぴったり

買い物の合間や仕事帰りなど、どんなシーンでもゆっくりくつろいで過ごせるように、との思いで運営されるカフェ。シンプルなしつらえや落ち着いた照明、ほどよくタイトな店内空間など、しっとりとした雰囲気に満ちています。

ランチタイムに人気なのは、極厚のトーストとサラダ、スイーツのセット。トーストはスタンダードなチーズやバターのほか、エビブロッコリーやハムチーズなど、大人から子どもまで大好きな味わいからひとつ選べ、カリカリベーコンのサラダと日替わりのスイーツも付いて、お腹も大満足です。

コーヒーは、北浜にある焙煎所から取り寄せたオリジナルブレンドを使用。浅煎りながら酸味をほどよく抑えた絶妙な味わいで、エスプレッソにもドリップにもすんなり馴染むおいしい1杯です。クッキーやフィナンシェなどの焼菓子とともに、くつろぎながら楽しめます。

Menu

コーヒー	495円
カフェラテ	550円
あんバタートースト	495円
エビブロッコリートースト	550円

タルトなどのケーキも人気
※時期によって商品内容に変更あり

厚切りトーストとコーヒーをお召し上がりください。

珈琲とたまごサンド

こーひーとたまごサンド

左上：テイクアウトもOK
左下：伊勢のつぶあんと高千穂バターで仕立てたあんバターサンド（ハーフ）400円
上：気兼ねなくくつろげる店内　左：すべてスペシャルティコーヒー。量り売りもある

Information

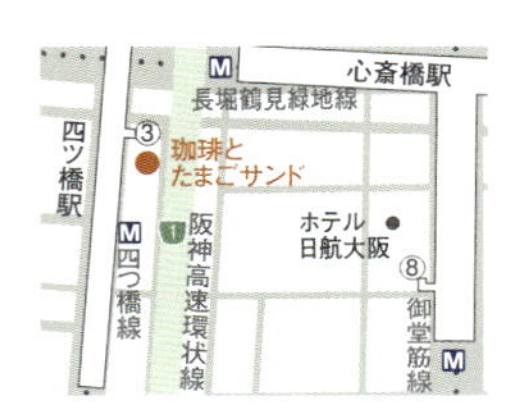

大阪市西区北堀江1-1-27-1階東側
06-6556-7296
11:00～18:00（土日・祝日は11:00～15:30）
不定休（週2回程度、随時SNSでお知らせ）
テーブル11席、カウンター4席　全席禁煙、テラスのみ喫煙可
https://www.coffee-to-tamagosand.com/
@coffee_to_tamagosand

Osaka Metro 四つ橋線四ツ橋駅3番出口よりすぐ。
御堂筋線心斎橋駅8番出口より西へ6分

たまごサンド600円は、フィリングの味とよく馴染む食パンを使用。ハーフサイズ350円もあり

コーヒーとたまごの幸せなマリアージュ

コーヒーと食べ物とのペアリングを探るのが大好きだったオーナー・西尾さんが、ふとたまごサンドを作ってコーヒーとともに食べてみたところ、意外なおいしさを発見。「コーヒーとたまごサンド」という語感のやわらかさにも惹かれ、そのままオープンへと至りました。

コーヒーは、旅行で訪れた際に知り合った福井県の焙煎所から取り寄せたもの。たまごサンドは無添加の食パンや調味料を用い、秘密の隠し味を加えながらオーソドックスで何度でも食べたくなるおいしさを追求しました。ペアリングを大切にしているので、食事とセットでのオーダー時、指定がなければおすすめのコーヒーを用意しています。たまごサンドには甘味とまろみが特徴のパプアニューギニア産シングルオリジンを提供。たまごフィリングのコクとコーヒーの甘みが滑らかに調和する、至福の味わいが堪能できます。

Menu

カフェオーレ	S400円、M550円
オーガニックティー	500円
シチリアレモンの無添加レモネード	450円
マーマレードトースト	650円

コーヒーは常時9～10種類ほどをラインナップ。S350円、M500円

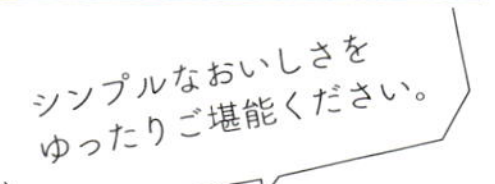

オーナー・西尾佑佳さん

Abel coffee

アベル コーヒー

座席の間隔をあえて広めにとり、落ち着ける空間に仕上げた

ゆとりある空間で過ごす、自分だけのリラックス時間

Information

大阪市西区北堀江 1-15-11 2F
06-6539-4000
12:00 ～ 19:00（18:00LO）
無休
テーブル 14 席、カウンター 7 席　全席禁煙
@abel_coffee_

Osaka Metro 四つ橋線四ツ橋駅 6 番出口より西へ 5 分。長堀鶴見緑地線西大橋駅 4 番出口より南へ 7 分

左上：温かみのある店内　左下：ホワイトチョコベースのクリームチーズテリーヌ 650円　上：ピーナッツラテ 650円にチョコルベンクッキー 500円を添えて　左：ゆるやかな空間

温かな照明やゆったりとした空間使い、ほどよいグリーンなど、都市部の安らぎに満ちたホッと落ち着けるカフェ。大きな窓にはウッドのブラインドが設置され、やさしくもれる光にも癒されます。

コーヒーは、自社焙煎にこだわるカフェから取り寄せたオリジナルブレンドを使用しています。この日はブラジル・エチオピア・コロンビアの豆を中深煎りにし、ボディ感がありながら華やかさも残る、絶妙な味わいの豆で提供。オリジナルブレンドで仕立てたエスプレッソに、自家製ピーナッツペーストとミルク、生クリームを加えて仕立てたピーナッツラテは、ナッツならではの香りとコクが豊かに広がり、後引くおいしさです。

チョコやマカダミアナッツがたっぷり入ったクッキーや、こっくり濃厚なテリーヌなど、自家製焼菓子も美味。コーヒーのお供にぴったりな甘味で、お腹も心も癒されます。

Menu

アメリカーノ	500円
カフェラテ	600円
トマトバジルエード	650円
グレープフルーツティー	650円

自家製シロップで仕立てたミカンエード 650円とピーナッツラテ

今後は軽食やテイクアウトもご提供予定です。

オーナー・チュさん
スタッフ・長尾さん

wad cafe

ワド カフェ

店内装飾は日によってどんどん変化。作家の作品を中心に「気になる」ものが並ぶ

お茶と空間を大切に、癒しの時間を提供

Information

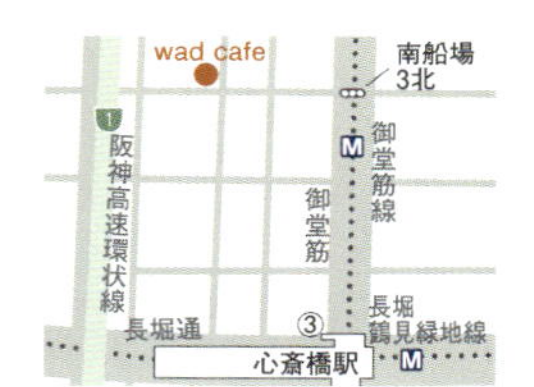

大阪市中央区南船場 4-9-3 東新ビル 2 階
06-4708-3616
12:00 ～ 19:00（18:30LO、土日・祝日は 10:00 ～）
不定休
テーブル 12 席、カウンター 11 席
全席禁煙
https://wad-cafe.com/
@wadcafe

Osaka Metro 御堂筋線心斎橋駅 3 番出口より北西へ 6 分

左上：抹茶は好きな器が選べる　左下：黒豆玄米、たたきごぼう、かりんとうの3種盛り500円　上：抹茶ラテ950円のシロップは別添え。濃さが調節できる　左：お茶はドライフルーツやナッツ付き

金継ぎ職人でもあるオーナー・小林さんが、「器が体験できるような場を」と日本茶カフェをオープンしました。雑居ビルの2階にお店を構えたのは「伝統的な側面がクローズアップされがちな日本茶を、もっと親しみやすく感じていただけるように」との思いから。味わいにこだわるのはもちろん、お茶を楽しむための道具や周囲の空気感も大切にし、心落ち着くしつらえの中でゆっくりとした時間が過ごせます。

飲んだ瞬間にうまみが広がる煎茶や、香ばしいほうじ茶、お点前にもほれぼれする抹茶のほか、ラテやチャイ、台湾茶など多彩なメニューを用意。伝統と現代の価値観とをほどよくミックスしたメニュー構成で、年代を問わず多くの人に愛されます。一年中食べられるかき氷をはじめ、やきもちやぜんざいなどの甘味も充実。お茶と甘味が織りなす癒しの時間が過ごせます。

Menu

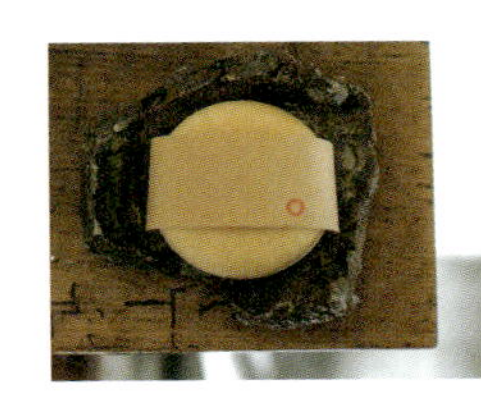

かぶせ煎茶 ごこう	1500円
煎茶 やぶきた	1000円
やきもち	500円
氷盛り 大（本日のお茶一杯付）	1000円

つぶあん詰めたてで提供される
さくさくのワドモナカ400円～

ギャラリーでは不定期で作品展示も行なっています。

オーナー・小林剛人さん

neji

ネジ

左上：バナナケーキとバニラアイス650円　左下：毎日焼きたてを用意するネジのスコーン420円～　上：古道具の温かみが伝わるテーブルや椅子　左：自家製レモンスカッシュ580円

Information

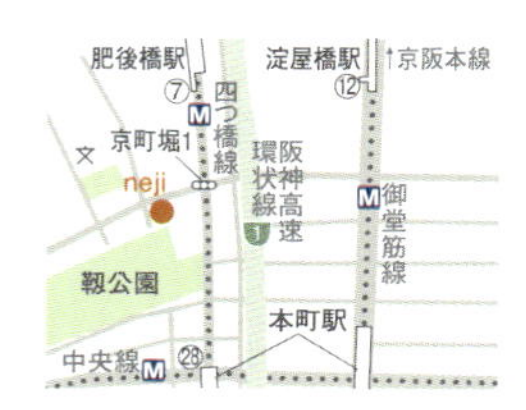

大阪市西区京町堀1-8-26 UTSUBO Terrace Bldg.1階
06-6449-9700
11:30 ～ 18:00　月曜休み（祝日は営業）
テーブル20席、カウンター3席、テラス7席
全席禁煙
http://neji-kyomachibori.jp/
@neji.kyomachibori

Osaka Metro 四つ橋線肥後橋駅7番出口より5分。
御堂筋線・四つ橋線・中央線本町駅28番出口より6分

おいしさと健康を考えた「週替わりのランチプレート」
1500円。15時まで、数量限定

クリエイティブな空間で楽しむランチ＆スイーツ

靭公園の近くに位置するアートギャラリー＆カフェ。２０２０年６月にオープンしてからも現在進行形で変化を続け、「探しものを見つける場所」のコンセプトどおり、何かを見つけられるようなステキな空間です。店内奥の壁一面にはいろいろなジャンルの本が並び、いつもと違う本を手に取ってみる楽しみも味わえます。お店のロゴや看板のイラストは、絵本作家・イラストレーターの北村人さんによるもの。店内では北村さんの企画展をはじめ、年に3～4回、展示や音楽イベントを開催しています。

リピーターが多いメニューは、週替わりのランチプレート。野菜中心ながら肉と魚もバランスよく取り入れ、10品ほどを彩り豊かに盛り付けます。ヘルシーなのにボリュームがあり、男性にも好評。数量限定で早い時間に売り切れる場合があるので、予約がベターです。オープン当初から人気のネジのカレーもおすすめです。

Menu

おねじコーヒー、めねじコーヒー	各400円
おねじラテ（H/I）	550円
はちみつ紅茶（H/I）	400円
ガトーショコラ	650円

バニラアイスと「おねじエスプレッソ」で
香り高いアフォガート 650円

ワンちゃんと一緒にテラス席も気持ちいいです！

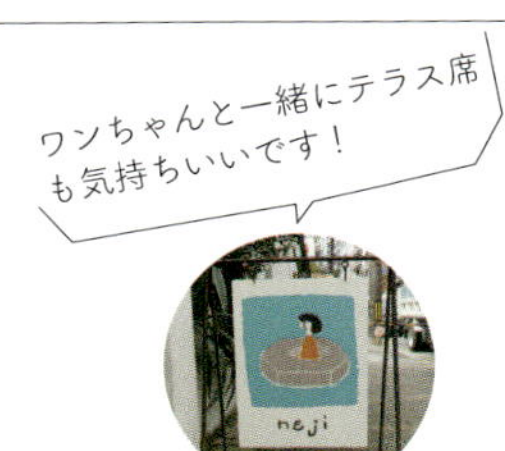

オーナー・森下ひろきさん

CHASHITSU Japanese Tea & Coffee

チャシツ ジャパニーズティーアンドコーヒー

「働く」「仕事」に関する書籍が200冊以上並ぶ店内。企画に合わせて棚替え

独自のドリンクとスイーツで上質な時間を

Information

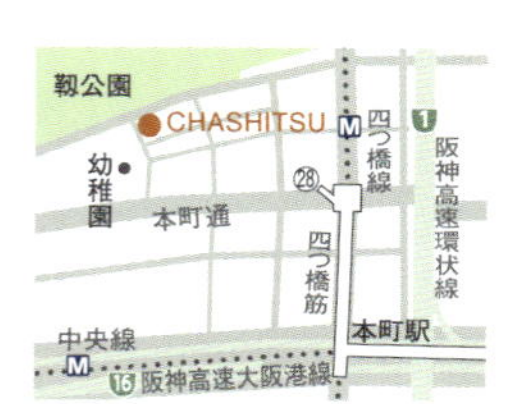

大阪市西区靱本町 1-16-14
06-6147-3286（ハローライフ内）
11:00 ～ 18:00（土日・祝日は 12:00 ～ 17:00、各 30 分前 LO） 第 2 火曜休み
1F テーブル 8 席、2F カウンター 4 席、3F テーブル 18 席
全席禁煙
https://chashitsu.jp/ @chashitsujapanesetea_coffee

Osaka Metro 四つ橋線・中央線本町駅 28 番出口より北西へ 5 分

左上：額縁の絵のような靭公園の緑　左下：和束町からの上質な茶葉を使用
上：おはぎバーガー 300 円〜
左：ほうじ茶と粒あんのガトーショコラ 360 円、ほうじカフェジュレッティー 480 円

日本茶とコーヒーの創作ドリンクと和のオリジナルスイーツを、パークビューで楽しむことができる日本茶スタンド。京都・和束町のお茶と「Unir」のスペシャルティコーヒーを使ったドリンクは、秋はほうじアメリカーノ、冬は抹茶ヴィエナコーヒーなど、季節ごとに6種類を展開。どれもひねりが利いていて、ほかにはないアイテムばかりです。また、スイーツは同じビルの4階で製造。外がお米でなかにあんこを挟んだおはぎバーガーは常時3種類を用意し、定番の胡麻づくし以外は季節商品です。

「働く」ことを応援する「NPO法人HELLOlife」が運営しているこの店の本棚には、生きることや仕事に関わる本が並び、利用する人は自由に読むことができます。電源やwifiも備えられた店内では、読書をしたり、パソコンに向かったり、公園の緑を見ながらゆっくりしたり。それぞれが思い思いの時間を過ごしています。

Menu

特上ほうじ（H/I）	450 円
本格抹茶ラテ（H/I）	480 円
MATCHA CHARGE ソーダ	450 円
琥珀ほうじラテ（H/I）	480 円

ほうじアメリカーノ（H）510 円
胡麻づくし 300 円

おいしいお飲み物とお菓子で、一息つきに来てください。

ストアマネーシャー・若園侑里香さん

BOOK&CAFE 喫茶去

ブックアンドカフェきっさこ

左上：濃厚な「龍のたまご」を使った「たまごかけごはんランチ」700円　左下：大人気の「桃のパフェ」(季節限定) 700円　上：楽しいPOPにも注目　左：編み物作家「a.mu」の作品もかわいい

Information

大阪市西区京町堀 2-13-7
電話なし
11:00 ～ 17:00
日・月曜休み、不定休あり
テーブル８席、カウンター５席
全席禁煙
@book_cafe_kissaco

Osaka Metro 千日前線・中央線阿波座駅９番・１番出口より北東へ５分

ボリュームたっぷりの「日替わりランチ」900円。取材日のメインは和風ミートソースグラタンともう1種類

栄養価の高い手作りランチを楽しみに

和食ベースの創作ランチが評判のお店。店主の井上圭子さんは、元アパレルのパタンナーで、会社員をしながら、辻調理師・製菓専門学校の夜間部に合わせて3年間通ったという経歴の持ち主。「ずっとカフェをやりたくて」と微笑む井上さんは、念願のお店を2017年にオープンしました。看板メニューの「日替わりランチ」は、メイン、自家製ごま豆腐、白味噌のお味噌汁、小鉢、ご飯という内容。お米は滋賀県の無農薬米「ミズカガミ」を玄米か分づき米、もしくは両方入りで提供します。カツオと昆布のだしをきっちりとって作ったお味噌汁やごま豆腐はやさしい味です。スイーツも厳選材料を使ってもちろん手作り。

本好きな店主セレクトの料理本や占い本、80年代の装苑などが並んでいます。店名の「喫茶去」は禅語で「お茶でも飲みながらゆっくりして」という意味。井上さんとの会話も楽しく、すっかり長居をしてしまいます。

Menu

おにぎりランチ	700円
コーヒーゼリー	450円
ヨギティー（H）	450円
ハートランド	500円

チョコレート感が半端ない
「チョコレートのパウンドケーキ」 400円

ランチと同じ内容のお弁当もありますので、こちらもぜひ！

店主・井上圭子さん（左）
スタッフ・まきさん

喫茶 水鯨

きっさすいげい

譲り受けたステンドグラスやテーブルセットなどが懐かしさを誘う店内

純喫茶の味と文化を後世に受け継ぎたい

Information

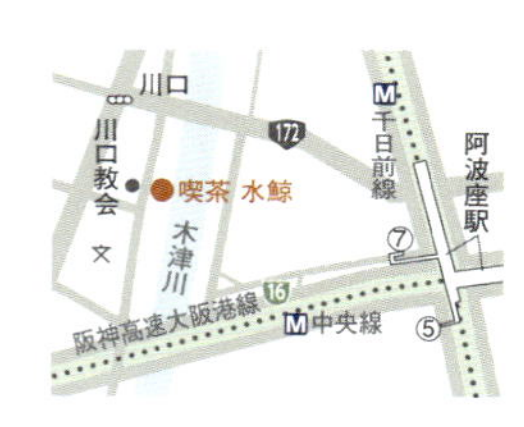

大阪市西区川口 1-4-19
06-6556-6226
9:00 ～ 17:00　月・火曜休み（祝日は営業）
テーブル 12 席、カウンター 4 席
全席禁煙、ウッドデッキのみ喫煙可
http://kissasuigei.com/
@kissa_suigei

Osaka Metro 千日前線・中央線阿波座駅 7 番出口より 7 分

左上：金沢から移設したカウンター　左下：ナポリタン 850円　上：自家製プリン 450円、水鯨ブレンド 480円　左：店の奥小型焙煎機でスペシャルティコーヒーを 1kgずつ焙煎

大阪にかつてあった川口旧居留地。その跡地の一角に、２０２１年９月開店した「喫茶 水鯨」。街から絶滅している喫茶店に絶滅危惧種の「鯨」を重ねた店名で、店主夫妻は、喫茶店の文化を引き継ぐ活動を続けています。店は、多くの人に惜しまれながら、２０２０年に閉店した金沢の名物純喫茶「禁煙室」の内装を移設した空間。テーブル席とカウンター席があり、どこに座ってもほっとする懐かしさが漂います。

コーヒーは、ブレンドなど約10種類を用意し一杯ずつ丁寧にハンドドリップします。「3色のクリームソーダ」は、割れたグラスから復元したレプリカグラスを使い、味とともに形も受け継いだ人気メニューです。また「自家製プリン」は、庭から出てきた古い料理本に記されていたプリンアラモードのレシピを再現したもの。食器にもメニューにもすべてに物語があって、興味が尽きません。

Menu

レモンスカッシュ	550円
コーヒーフロート（水鯨ブレンド）	650円
オムライス	850円
厚焼きたまごサンド	680円

禁煙室で人気だった「3色のクリームソーダ」650円（写真はいちご）

店主・山口修平さん

Umeda Kita Shinchi Fukushima

梅田 北新地 福島

←御幣島
awaiya books
p110
←淀川
海老江
野田阪神
野田
阪神本線
JR 東西線
福島
大阪→
新福島
北新地→
JR 大阪環状線
千日前線
とれぽ珈琲
p112
中之島
野田
玉川
西九条
阿波座→
Noda
野田

whitebird coffee stand

ホワイトバードコーヒースタンド

カウンター席中心の店内で
サクッとコーヒー＆ゆったりスイーツ

好みの一杯＋αでリフレッシュの時間を

Information

大阪市北区曽根崎 2-1-12
06-6809-3769
11:00 ～ 23:00（日曜・祝日は～ 22:30、各 30 分前 LO）
不定休
テーブル 11 席、カウンター 10 席
全席禁煙
@Whitebird coffee stand

Osaka Metro 谷町線東梅田駅 7 番出口より南へ 6 分。
JR 大阪駅、各線梅田駅より南へ 8 分

左上：本日のカレー 960 円。セットドリンク 200 円 OFF　左下：焼菓子はテイクアウト OK　上：クラシックプリン～コーヒーシャンティーを添えて～ 600 円　左：カウンター席でゆっくり

アクセスのよいオフィス街にあり、気軽に立ち寄りたいカフェ。交通量の多い道路に面していながら、その騒音すら心地よく感じられるほど、ゆっくりとコーヒーを味わえます。ハンドドリップコーヒーは、ハウスブレンドのほか、好みの焙煎具合で選べ、スタッフが直接焙煎した豆も使っています。

コーヒーによく合うスイーツもそろい、人気のプリンは、固めだけどしっとり、もっちりとした食感。コーヒー豆を一晩漬けこんだトッピングの生クリームからラム酒の香りが広がり、苦めのカラメルも大人の味わいです。ティラミスコーヒーやミルクブリューなど、コーヒーに特化したアレンジドリンクも各種。気になるバーメニューは、大人のアイスカフェオレやアイスカフェモカ、アイリッシュコーヒーなど種類豊富で、お昼からバーメニューとスイーツを注文するお客さんも少なくないそう。日替わりで提供する本日のカレーも人気です。

Menu

ティラミスコーヒー	750 円
ミルクブリュー	680 円
大人のアイスカフェオレ	880 円
アイリッシュコーヒー	800 円

酸味と苦みのバランス◎。
ハウスブレンド（スタンダード）600 円

コーヒーはもちろん、スイーツの裏メニューもお楽しみに！

スタッフ

NITO Coffee&Craft Beer

ニト コーヒー アンド クラフトビア

左上：キャラメルソースで仕上げたバナナブレッド＆アイスクリーム 700 円　左下：カフェラテ 550 円　上：陽光が差し込む店内。ファクトリー的な雰囲気も魅力　左：自家焙煎も行う

Information

大阪市北区堂島 2-2-22
電話なし
11:00 ～ 23:00
不定休（SNS で随時お知らせ）
テーブル 22 席、カウンター 6 席　全席禁煙
https://vacan.com/place/Q4r6B1rJ
@nito_coffee_beer

JR 東西線北新地駅 9 番出口より南西へ 4 分。Osaka Metro 四つ橋線西梅田駅 10 番出口より南西へ 5 分

アメリカから仕入れたジューシーなソーセージを、北浜の人気ベーカリーのセミハードパンでサンドしたホットドッグ 750 円

コーヒーとビールの“二兎”を追求

関東や九州など日本各地の焙煎所から取り寄せたシングルオリジンコーヒーと、海外のクラフトビアが楽しめます。コーヒーはフルーティーな浅煎りを中心にセレクトし、クラフトビールはホップがきいたほどよい苦味のIPAなどをラインナップ。ビールサーバーを通してコーヒーを注ぐ、ナイトロコールドブリューコーヒーも評判で、コーヒーにビールのようなガスが加わることでまろやかな口当たりへと変化し、きめ細やかな泡と、とがりのない味わいが爽やかに広がります。

店内で焼き上げるスイーツは、ドリンクとの組み合わせを考慮して甘さ控えめに。スパイスをきかせたり香ばしさを大切にしたりと、後口軽妙な大人テイストに仕上げました。ビールのおつまみにと、フードメニューも数種類用意。コーヒーとビールをとことん楽しむ、粋なひとときが過ごせます。

Menu

熱々のエスプレッソをかけていただくアフォガート 650 円

コーヒー	600 円
ナイトロコールドブリューコーヒー	750 円
エスプレッソコーヒージェリー	650 円
アイスクリームクッキーサンド	650 円

昼飲みもできるので、お気軽にお越しください。

オーナー・阿部さん

サンクストア

SNS映え間違いなしのカラフルで美しい店内。これらのドライフラワーはすべて商品

非日常の時間を過ごせる特別な居場所

Information

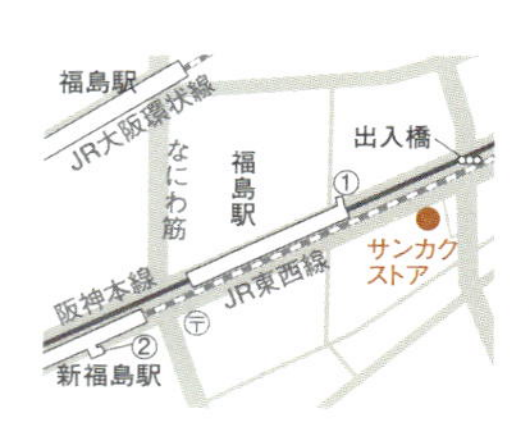

大阪市福島区福島 1-4-32
070-1819-3987
11:00 ～ 19:00（18:30LO）、金曜は～ 21:00（20:30LO）
※詳細は SNS で要確認　不定休
テーブル 14 席、カウンター 4 席、ソファー 2 席
全席禁煙
https://www.wefsankakustore.com/
@wef_sankakustore

阪神本線福島駅・JR 東西線新福島駅 2 番出口を東へ 4 分。JR 大阪環状線福島駅より南東へ 5 分

左上：1階のオーダースペース　左下：北欧デザインの雑貨も販売　上：ラベンダーハーブティー700円、花をトッピングしたブラウニー330円　左：1日4回ドライフラワーワークショップ開催

三角形の建物に、「FOOD」「花」「写真」と3つのテイストが同居する新しいタイプのお店。「夢のような休日」というコンセプトにふさわしく、日常の喧騒から離れた特別な時間を過ごすことができます。1階はカフェのオーダーと雑貨、生花と観葉植物の販売スペース、2階はカフェとドライフラワー専門店、3階はスタジオとレンタルスペースになっています。

特に2階のカフェには大量のドライフラワーが吊り下げられ、まさに圧巻。美しい花々に囲まれて、香しいハーブティーやお花のケーキをいただくとそこは別世界です。休日は女性客であふれるこのスペースも、平日は男性の一人客やシニアの愛好家も訪れます。ワークショップ参加後にカフェを利用し、最後に買い物をして一日堪能するお客さんも多いそう。実力派フローリストでオーナーの松井美徳さんは、次々イベントを企画中なのでチェックしてみて。

Menu

ラテ	650円
マフィン	300～380円
バスクチーズケーキ	500円
タルティーヌ	480円

一つひとつ手作りする「花ドーナツ」
1個440円

お花に囲まれた空間を体感しに来てください。

オーナー・松井美徳（よしのり）さん

PAUSE COFFEE

ポーズコーヒー

左上：アボカドオープンサンド 820 円　左下：カフェラテ 550 円　上：あちこちに植物が置かれた気持ちのよい空間　左：自家製シロップのレモネード 500 円、アイスカフェラテ 550 円

Information

大阪市福島区福島 6-12-19
06-7221-0051
9:00 ～ 18:00（フード 17:30LO、ドリンク 17:45LO）
月曜休み
テーブル 8 席、カウンター 2 席、テラス 3 席　全席禁煙
https://pausecoffee.thebase.in/　@pause__coffee

JR 大阪環状線福島駅より北へ 8 分。JR 東西線新福島駅 1 番出口または阪神本線福島駅 2 番出口より北へ 10 分。JR 大阪駅より 10 分

羽曳野産の完熟イチジクを丸々１個トッピング。
季節限定のアールグレイとイチジクのフレンチトースト
1400円（8～10月中旬）

日常の忙しさから心地よく“小休止”

コンセプトは「ヒト・モノ・コトを繋ぐコーヒーショップ」。丁寧に淹れる厳選したコーヒーを基本に、作家や農園といった作り手の商品や作品など、コトとモノが集まる場所として、アーティストの作品展示やスイーツ店とコラボしたポップアップなども実施しています。立ち止まるという意味の店名には「忙しい中でも足を止めて、コーヒーを飲んでリラックスし、自分の時間を大切に」という思いが込められています。

富田林産の美人卵ときび砂糖の生地にじっくりと漬け込み、ふんわりと焼き上げたフレンチトーストのほか、オリジナルの黒パンにアボカドやツナをトッピングしたオープンサンドもあります。食材にも気を使い、パンや野菜も地元大阪のものを中心に取り寄せるなど、つながりも大切にしています。11時30分までのモーニングタイムには、人気メニューをドリンクとセットで楽しめます。

Menu

注文をうけてから１杯ずつ淹れる
ドリップコーヒー 500円～

プレーンフレンチトースト	820円
オリジナルチャイラテ"フローラルブレンド"	550円
自家製ジェラート	550円～
モーニングメニュー	650円～

都会のオアシスのような空間で、ゆっくり過ごしてください。

店長・飯田優さん

cafe fouet°

カフェフエ

新しい店舗部分もスペースを広くとり、ソファー席や雑貨コーナーも設けている

グレードアップした麗しの空間で和み時間

Information

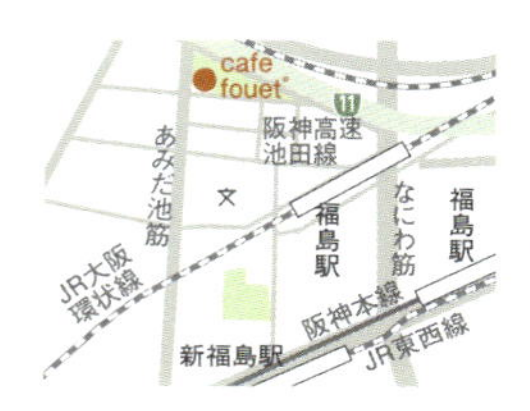

大阪市福島区福島 7-10-9
06-6455-0565
11:00 ～ 19:30（19:00LO）
土日・祝日 9:00 ～ 17:00（16:30LO）
火曜、第 2・4 水曜休み
テーブル 34 席　全席禁煙
@cafe.fouet

JR 大阪環状線福島駅より北西へ 5 分。阪神本線福島駅、JR 東西線新福島駅より北西へ 7 分

左上：木の温もりとやわらかな白を基調とした店内
左下：モーニングワンプレート 1000 円　上：選べる日替わりケーキセットは黒板メニューからセレクト
左：人気の窓際席

白を基調としたインテリアが素敵なお店。店名「フエ」はフランス語で「泡立て器」の意。「フエ」で作ったパンやスイーツが自慢です。２０２２年３月、少しでも広いスペースで安心して飲食できるようにと、倉庫部分を店舗スペースにしてリニューアルオープンしました。もっちりした生地が特徴のベーグルや旬の野菜をたっぷり使ったキッシュなど、毎日焼き上げる看板メニューは健在。休日のみ提供する３種類のモーニングにも使います。「福島でモーニングをしている店が少ないのでうれしい」「スペースが広くなったので団体でも利用しやすくなった」と、ハード面ソフト面ともに、評判は上々です。

また、壁面などを使って、２週間に一度のペースで、さまざまな分野の作家さんの個展も開催することに。おいしいメニューとともに、個展を楽しみに訪れるお客さんも多いそうです。

Menu

ブレンドコーヒー	450 円
バタートースト	500 円、ハーフ 350 円
キッシュ & スープ	850 円
fouet°の焼き菓子セット	800 円

サラダベーグル（モーニング）1000 円

おひとりさまでも気軽にお越しください。

店長・寺杣（てらそま）さん

awaiya books

アワイヤブックス

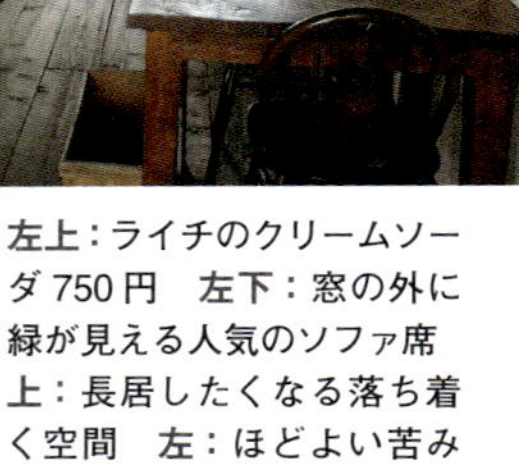

左上：ライチのクリームソーダ 750円　左下：窓の外に緑が見える人気のソファ席　上：長居したくなる落ち着く空間　左：ほどよい苦みをきかせて、飲み心地のよいオリジナルブレンド

大阪市福島区海老江 2-7-22
電話なし
13:00 ～ 17:30（17:00LO）
※日曜は 10:30 ～ 18:00（17:30LO）
不定休　※SNS を確認　テーブル 10 席　全席禁煙
https://awaiyabooks.official.ec/
@awaiyabooks

JR 東西線海老江駅 2 番出口より 5 分。阪神本線野田駅・Osaka Metro 千日前線野田阪神駅 2 番出口より 10 分

シャリシャリ感のある自家製アイスがおいしい季節のパフェ 980円、ブレンド 550円

本とともに自分と向き合う時間を過ごす

大阪・塚本のライブハウスでの間借りからはじまり、2022年4月に移転オープンした喫茶と本の店。築90年の長屋の一角にあり、駅から近いのに迷路のような細い道を歩く楽しみも味わえます。店内は、古木の柱などをそのまま生かしながら、アジアや西洋の雰囲気も取り入れてリノベーションした落ち着く空間です。

2階へと続く階段横の大きな本棚には、詩集や暮らしにまつわる本が古本と新刊あわせて約400冊。店内で読むことができ、ほとんどの本は購入も可能です。クラシックやピアノ曲が流れる静かな空間で、ゆっくりと読書をしたり、何かに集中したり。一人で訪れる人が多く、思い思いに自分の時間を過ごしています。

人気は2〜3カ月ごとに変わる季節のパフェ。バスクチーズケーキや、きなこ、黒ごま、黒糖などを使った「地味だけど滋味深い」ジミケイクは、コーヒーによく合います。

Menu

アイスコーヒー	550円
カフェオレ（H/I）	600円
カモミールミルクティ	600円
ジミケイク	460円

ココアサブレ、紅茶サブレ各 180円など季節によって変わる焼菓子も各種

静かな自分自身にさわるひとときをぜひどうぞ。

オーナー

とれぽ珈琲

とれぽこーひー

明るい光が降り注ぐ大きな窓が印象的。どこを見てもステキな空間が広がる

空間を楽しみ、コーヒーを味わう

Information

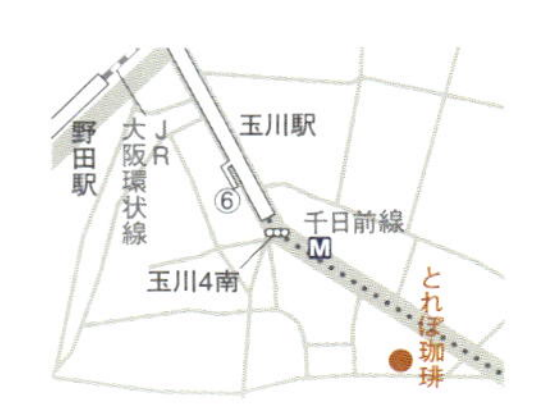

大阪市福島区野田 3-1-6
電話なし
13:00 ～ 19:00（LO18:30）
火・木・金・日曜休み
テーブル 30 席
全席禁煙
@torepocoffee

Osaka Metro 千日前線玉川駅 6 番出口より南東へ 5 分

左上：吹き抜けの２階は２組限定のソファ席　左下：懐かしい味わいの自家製ドーナツ 150 円。浅・中・深煎りコーヒー各 680 円
上：プリン 400 円　左：歴史が感じられる柱や梁

古い建物が残る住宅地にたたずむ古民家カフェ。大正時代に建てられた築１００年を超えるこの建物は、当時集会所として使われていたそうです。のちに空き家となっていたこの空間を生かそうと、店主・田中俊輝さんを中心に、設計士さんや大工さんとともに何度も試行錯誤を繰り返しながら、現在の姿へと生まれ変わりました。

こだわりの空間とコーヒーを楽しみながら、「訪れた人に、何かを感じとってもらえたらうれしい」と、田中さん。高校時代からコーヒーに興味をもち、自ら焙煎もしていたそうです。ハンドドリップで一杯ずつ丁寧に淹れるコーヒーは、浅・中・深煎りを用意。コーヒーとともに楽しみたいスイーツは、レトロなプリンやガトーショコラ、チーズケーキなど。昔ながらのサクサクした食感のドーナツやレモンケーキ、バナナとくるみのスクエアケーキも人気です。

Menu

ビジュアルもかわいい
猫のフィニャンシェ 250 円

アイスコーヒー	730 円
カフェオレ	750 円
ガトーショコラ	400 円
チーズケーキ	400 円

ゆっくりとした時間をお楽しみください。

店主・田中俊輝さん

平野

まちめぐり＆カフェめぐり

レトロな商店街や古い町家が残り、ぐるっと歩いて楽しめる平野の町。ステキなカフェもみつかります。Osaka Metro 谷町線東梅田駅から平野駅まで24分。都心から少し足をのばして、歴史のある町を歩いてみませんか。

全興寺（せんこうじ）

1400年前、聖徳太子が薬師堂を建てたことが全興寺の草創。そこから人々が住みはじめ、平野の町が作られたと伝わります。本堂をお参りしたら、「地獄堂」や「ほとけのくに」、「赤い糸の縁結び」なども要チェック。

平野区平野本町 4-12-21
06-6791-2680
8:30 ～ 17:00
https://www.senkouji.net/

境内の一角にある「小さな駄菓子屋さん博物館」。昭和 20 ～ 30 年代の駄菓子屋さんに並んでいたおもちゃがたくさん

パティスリー・ガレット

店名の通り、おいしいガレットを中心に、各種焼菓子とケーキがそろいます。オリジナル商品は、味はもちろん、パッケージデザインにもこだわっています。平野みやげとして考案した「ひらのサブレ」も人気。

平野区平野本町 5-14-17
06-6796-6686
9:30 ～ 19:00
月・火曜休み
https://galette.cc/

ひらのサブレ

パッケージを開くと、裏側に平野の地図が描かれています

平野 まちめぐり＆カフェめぐり

★ついついひらの

毎月１日、平野のお店が限定商品を販売する企画。この日だけしか出会えないおいしいもの、楽しいものが集まっています。
https://tuituihirano.net/

★平野町ぐるみ博物館

1993年から取り組んでいるミニ博物館運動。町の人たちが楽しみながら歴史ある地域を紹介しています。

Hirano

あひる菓子店

あひるかしてん

S T G

丁寧なリノベーションが施された店内。古道具やグリーンがアクセントに

日々のあれこれを忘れられる、古民家おやつカフェ

Information

大阪市平野区平野本町 4-11-33
電話なし
11:00 ～ 18:00（17:30LO）
月・火曜休み、不定休（SNS で随時お知らせ）
テーブル 15 席、カウンター 5 席　全席禁煙
https://ahirucoffee.com/
@ahiru.kashiten

Osaka Metro 谷町線平野駅 1・2 番出口より東へ 6 分

左上：カフェオレベースや自家製ジャムも販売　左下：固すぎず柔らかすぎずなプリン520円　上：季節のスイーツも好評。秋にはかぼちゃのタルト600円が登場　左：手みやげ用の焼菓子も

平野の人気コーヒースタンド「あひる珈琲」の2号店として、おやつを中心に据え、２０２２年７月にオープン。古民家らしい落ち着いた雰囲気を生かした店内は、まるで里山にある粋なカフェのような、ゆったりとした空気感に包まれます。プリンやガトーショコラなどの生菓子は、6種類程度をラインナップ。コーヒーとのペアリングを大切にしながら、甘味も香りも軽やかな、最後まで飽きずに食べられるおいしさに仕上げました。

コーヒーはしっかりとしたボディ感とフルーティな華やかさの両方が楽しめるあひるブレンドをはじめ、スペシャルティコーヒーを厳選して提供。「あひる珈琲」では取り扱いのない、フィナンシェピスターシュやクランブル、ミルクティなども好評です。静かな住宅街の古民家カフェで、ちょっぴり豊かなおやつタイムを楽しみましょう。

Menu

カフェオレ	650円
ストレートティー	520円～
ほうじ茶ラテ	600円
国産レモンの自家製レモネード	550円

香ばしさと、後から広がる華やかさが魅力のあひるブレンド520円

お庭が眺められるテラス席も心地いいですよ。

共同代表　左・生駒彌鈴さん　右・梅岡文音さん

CALM GARDEN

カーム ガーデン

S F T A B

モルタル造形は世界で活躍する職人が仕立てたもの。別世界へと誘われる

イギリスを忠実に再現した店内で、大人気のパフェを

Information

大阪市平野区平野本町 5-9-9
06-6777-8558
11:00 ～ 17:00（16:00LO）
月・火曜、第４日曜休み
テーブル 26 席、カウンター６席　全席禁煙
https://www.calmgarden.net/
@calm_garden

Osaka Metro 谷町線平野駅４番出口より北東へ９分

左上：多彩なグリーンがお出迎え　左下：自家製パンを添えた煮込みハンバーグランチ 1590 円　上：予約必須の季節のパフェ。こちらは桃　左：小物も一つひとつ選び抜かれたもの

イギリス・コッツウォルズのカフェをイメージし、倉庫だった建物をリノベーション。鉄骨にはモルタルを塗り固めて古木を表現し、イギリスのアンティークチェアや繊細なアンティーク加工を施したテーブルを使用するなど、隅々まで手を加えて「特別感のある空間」に仕上げました。入り口へのアプローチ部分には緑豊かなイングリッシュガーデンが広がり、四季折々の風景も堪能。平野の閑静な住宅街とは思えないほどカントリーテイストに満ちています。

とりわけ人気なのが、季節のフルーツをたっぷり使った華やかなパフェ。月ごとに1カ月分の予約を受け付けるシステムですが、なんと数時間で完売することもあるほど。アイスやソルベ、ジュレなどを盛り込み、フルーツとの相性にこだわって仕立てた期間限定の贅沢なおいしさが多くの人を虜にしています。ぜひ一度味わってみてください。

Menu

コーヒー	570 円〜
ミックスフルーツスムージー	720 円
焼きたてワッフル	760 円
スコーン	550 円

ピンクローズロイヤルミルクティー 700 円とカフェラテ 660 円

材料にとことんこだわった自家製パンも自慢です。

シェフ・EMIKO さん

だるま珈琲

だるまこーひー

左上:レトロなメロンソーダ、アイスコーヒー各 495 円
左下：鉄板にぎゅっと焼き付けてこんがり仕上げたメープルチーズプレス 660 円
上：落ち着く雰囲気の店内
左：自家製マフィン 330 円〜

Information

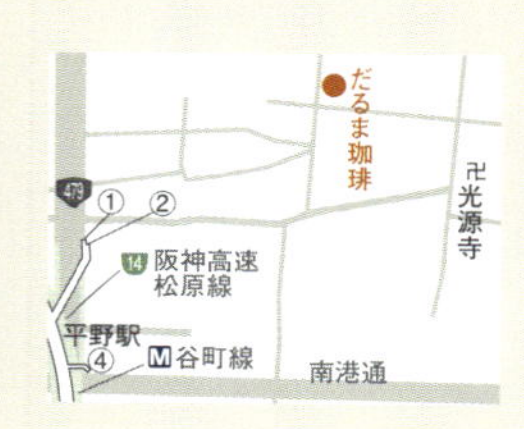

大阪市平野区平野本町 3-2-24
06-6777-7442
10:00 〜 18:00（17:30LO）
日曜休み
テーブル 12 席
全席禁煙
@dharmacoffee2017

Osaka Metro 谷町線平野駅 1・2 番出口より北東へ 5 分

アボカドを揚げることでホクホクした食感に。
アボカドタルタルバーガー 1265円（左）、
てりやきチャーシューバーガー 1430円

個性的なハンバーガーとおいしいコーヒー

元はお茶屋さんだったという築100年ほどの町家をリノベーション。古い柱や扉などをそのまま残し、懐かしい雰囲気が感じられます。だるま珈琲の店名は「達磨法師が好きだから」という店主の内藤雅継さん。店内のあちこちにお客さんが持ってきてくれただるまグッズが飾られています。

代表メニューはハンバーガー。有名ハンバーガー専門店で勤務経験のある内藤さんによるオリジナルハンバーガーがラインナップしています。つなぎを使わないパテは、あえて8対2の合い挽きにすることで、ジューシーな焼き上がりに。近くのベーカリー「トロワ」で特注したバンズは、スパイシーな肉に合わせて甘めにしています。レギュラーメニューのほか、同じものは2度と登場しないという限定バーガーも人気です。もちろんコーヒーにもこだわっていて、希少な豆をセレクト。6〜7時間かけて落とす水出しコーヒーもおすすめです。

Menu

カフェラテ（H/I）	600円
コーヒーゼリー	450円
アフォガート	600円
サンドイッチ	1100円

白くまアイスをイメージしたという
白だるま 700円

ハンバーガーと平野の町を
楽しみに来てくださいね。

店主・内藤雅継さん

Cafe No.888

カフェ ナンバーエイト

左上：カフェラテ 600 円　左下：ティラミスは、韓国から取り寄せた容器で提供　上：白とグレーを基調にした店内。クリアな家具がさりげない存在感を加える　左：テラス席もおすすめ

Information

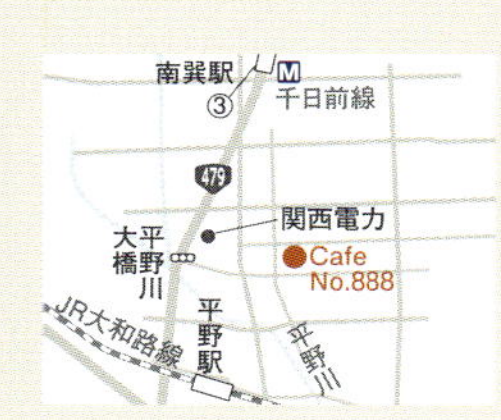

大阪市平野区加美北 6-2-6
06-6793-3777
11:00 ～ 17:30（17:00LO）　水曜休み
テーブル 18 席、テラス 6 席
全席禁煙
https://cafe-no888.owst.jp/
@cafeno888

JR 平野駅北出口より北東へ 10 分。Osaka Metro 千日前線南巽駅 3 番出口より南へ 15 分

ふわりととろけるチーズケーキに焦がしチーズをオン。
ブリュレチーズケーキ 650円

心地よい光がたっぷり差し込む韓国風カフェ

町工場が立ち並ぶエリアにすとんとたたずむ、ガラス張りのスタリッシュなカフェ。何か事業を始めようと土地だけは確保していたオーナーの藤井さんが、韓国留学経験のあるスタッフの「いつか韓国風カフェを手掛けてみたい」との夢に賛同し、オープンへと至りました。韓国らしいアクリル家具は特注で製作し、印象的なポスターや開放的なテラス席を設けるなど、現地の空間演出をとことん再現。こだわりのお店へと仕上げました。

自慢は、口に入れた瞬間の滑らかな食感と、可愛らしいルックスが特徴のスイーツメニュー。特にティラミスは「飲めるほどトロトロ！」と評判で、多くの人がオーダーする看板メニューとなりました。おひとり・カップル・女子会・ママ会などさまざまなシーンで利用可能。店内に差し込むあたたかな光に包まれながら、心地よいひとときが過ごせます。

Menu

エスプレッソ	320円
アメリカーノ	510円
抹茶ラテ	650円
プリン	450円

コーヒー豆は京都の焙煎所から取り寄せたオリジナルブレンド

ランチも提供予定なので、気軽にご来店ください！

オーナー・藤井章浩さん

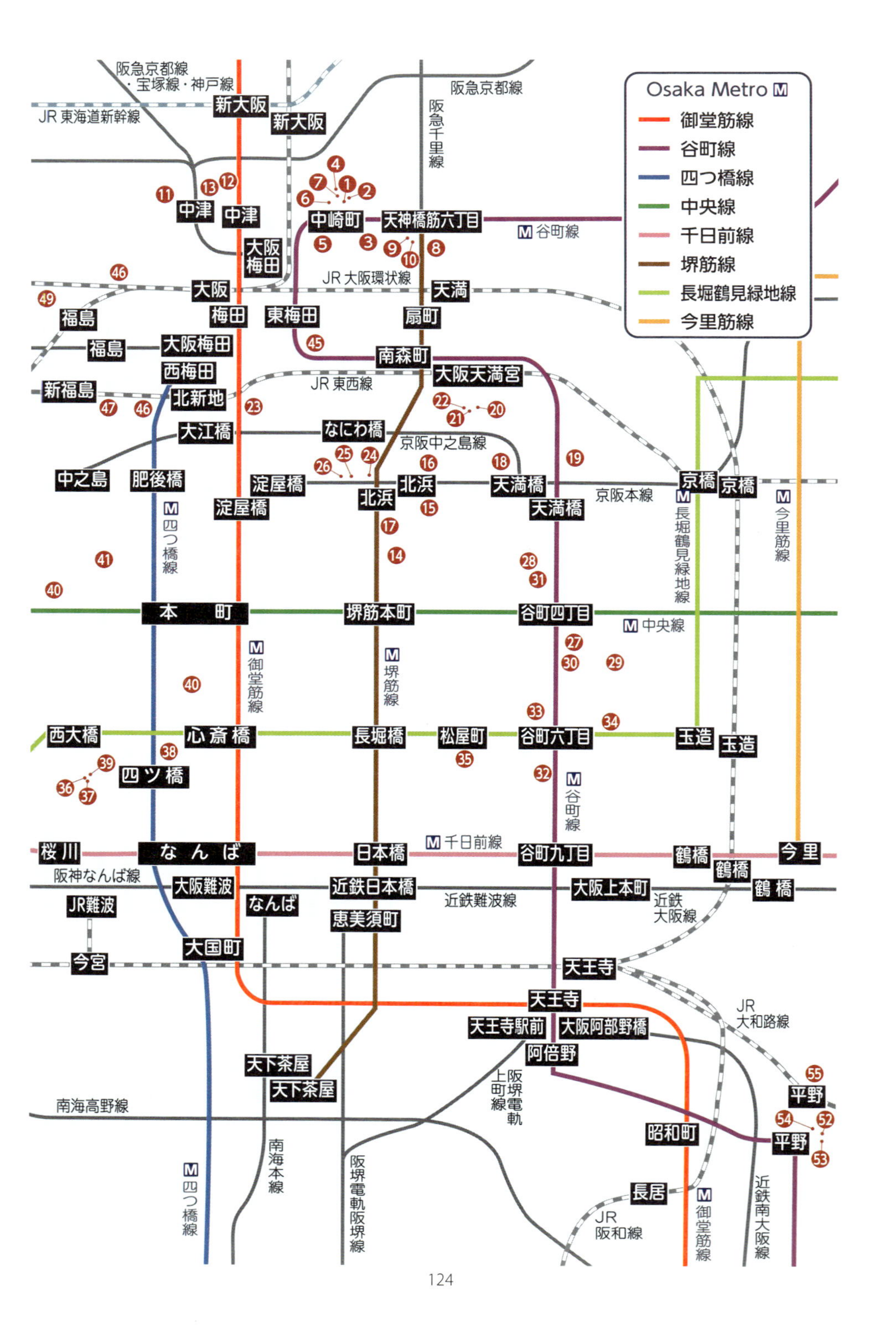
Osaka Metro
御堂筋線
谷町線
四つ橋線
中央線
千日前線
堺筋線
長堀鶴見緑地線
今里筋線
阪急京都線
・宝塚線・神戸線
JR 東海道新幹線
新大阪
新大阪
阪急京都線
阪急千里線
中津
中津
中崎町
天神橋筋六丁目
谷町線
大阪梅田
JR 大阪環状線
大阪
天満
福島
梅田
東梅田
扇町
福島
大阪梅田
西梅田
南森町
大阪天満宮
JR 東西線
新福島
北新地
大江橋
なにわ橋
京阪中之島線
中之島
肥後橋
淀屋橋
北浜
天満橋
京橋
京橋
京阪本線
淀屋橋
北浜
天満橋
四つ橋線
長堀鶴見緑地線
今里筋線
本町
堺筋本町
谷町四丁目
中央線
御堂筋線
堺筋線
西大橋
心斎橋
長堀橋
松屋町
谷町六丁目
玉造
玉造
四ツ橋
谷町線
桜川
なんば
日本橋
千日前線
谷町九丁目
鶴橋
今里
阪神なんば線
鶴橋
大阪難波
近鉄日本橋
大阪上本町
鶴橋
JR難波
なんば
近鉄難波線
近鉄大阪線
恵美須町
今宮
大国町
天王寺
天王寺
JR 大和路線
天王寺駅前
大阪阿部野橋
阿倍野
阪堺電軌上町線
天下茶屋
天下茶屋
平野
南海高野線
平野
昭和町
南海本線
阪堺電軌阪堺線
四つ橋線
長居
御堂筋線
JR 阪和線
近鉄南大阪線

おおさか路線図

阪急神戸線
JR 神戸線
JR 東西線
㊿
海老江
野田
阪神本線
野田阪神
野田
玉川
51
㊸
㊹
阿波座
M 千日前線
JR大阪環状線
西長堀
大正
汐見橋

た

な

は

ま～わ

INDEX

あ

か

さ

取材・撮影
磯本歌見
砂野加代子
木村桂子
安田良子

デザイン・DTP
益田美穂子（open! sesame）

地図
松田三樹子

編集
OFFICE あんぐる

取材にご協力いただきました各店のみなさまにお礼を申し上げます。

大阪 カフェ時間 こだわりのお店案内

2022年10月30日　第1版・第1刷発行

著　者　あんぐる
発行者　株式会社メイツユニバーサルコンテンツ
　　　　代表者　大羽孝志
　　　　〒102-0093 東京都千代田区平河町一丁目1-8
印　刷　株式会社厚徳社

◎『メイツ出版』は当社の商標です。

●本書の一部、あるいは全部を無断でコピーすることは、法律で認められた場合を除き、著作権の侵害となりますので禁止します。
●定価はカバーに表示してあります。
©OFFICEあんぐる, 2022.ISBN978-4-7804-2689-2 C2026 Printed in Japan.

ご意見・ご感想はホームページから承っております
ウェブサイト https://www.mates-publishing.co.jp/

編集長：堀明研斗　　企画担当：清岡香奈